「日本語能力試験」対策

日本語総まとめ N1

NIHONGO SO-MATOME

佐々木仁子
松本紀子

文法

ぶんぽう

文法 Grammar 语法 문법

ask PUBLISHING

この本(ほん)で使用(しよう)しているマーク

❗	注意しましょう
ダメ	このような使い方はだめです
OK	このような使い方はいいです
れい	例文以外(れいぶんいがい)のよくつかわれるフレーズ
◎	慣用的(かんようてき)な表現(ひょうげん)
もっと!	このような使い方もあります
☞ p. X	Xページを見てください
《 》	このように書いてもいいです
💬	会話(かいわ)でよく使われる表現(ひょうげん)
♥	女性(じょせい)がよく使う表現(ひょうげん)
硬	改(あらた)まった場面や文書(ぶんしょ)で使われる硬(かた)い表現(ひょうげん)
(－)	悪い意味でよく使われる表現(ひょうげん)

はじめに

この本は
- ▶新しい「日本語能力試験」N１合格を目指す人
- ▶中級が終わって上級レベルの勉強を始めた人
- ▶日常生活でよく使われる文型を学びたい人

のための文法学習書です。

◆この本の特長◆

・日本語能力試験N1レベルの文法項目（文型や接続表現）を、形や接続が似ている文型と一緒に学びます。
・タイトルや見出しにも学習する内容を取り入れています。繰り返し読むことで自然に文型が身につきます。
・１週間に１回分、テストがついているので、理解の確認ができます。
・英語・中国語・韓国語の訳がついているので一人でも勉強できます。

「習うより慣れる」ことで表現を身につけていきましょう。

2010年4月

佐々木仁子・松本紀子

This is a grammar drill book for:
- those who are seriously studying for the new JLPT Level N1,
- those who have finished the intermediate level study and wish to review them,
- those who wish to learn useful sentence patterns which are used in your daily life.

◆ The special features of this book ◆
- You will study grammatical items at the JLPT N1 level along with many commonly confused sentence patterns and conjunctive expressions,
- The words in the titles and the headlines are included in the exercises in each section. Therefore you will naturally learn the sentence patterns as you are repeatedly exposed to them,
- The inclusion of a weekly test will enable you to regularly check your learning,
- The English, Chinese, and Korean translations will enable you to study alone.

We hope you will learn the expressions by becoming familiar with them rather than memorizing them.

此书是专为以下学习者编著的语法学习书：
· 希望通过新“日语能力考试”N1的人
· 中级大致学完后想复习的人
· 希望学习日常生活中常用句型的人

◆此书的特长◆
· 对于相当于日语能力考试N1水平的语法条目（句型及接续方式），能和形式及接续相似的句型一起学习。
· 标题或题目中也包含了学习内容，能通过反复阅读自然地掌握句型。
· 每周都附有一次测验题，能确认掌握程度。
· 附有英语、汉语、韩语的翻译，方便自学。
通过“熟能生巧”掌握这些表达方式吧。

이 책은 ,
· 신「일본어 능력시험」N 1 합격을 목표로하는 사람
· 중급의 공부를 한차례 끝내고 복습하고 싶은 사람
· 일상생활에서 자주 사용되는 문형을 배우고 싶은 사람
을 위한 문법 학습서입니다 .

◆이 책의 특징◆
· 일본어 능력시험 N 1 수준의 문법항목 (문형이나 접속표현) 을 형태나 접속이 비슷한 문형과 함께 학습합니다 .
· 타이틀이나 표제에도 학습할 내용을 담겨 있습니다 . 반복해서 읽는 것으로 자연히 문형이 몸에 뱁니다 .
· 일주일에 1 회분 , 테스트가 붙어 있어 이해도를 확인할수 있습니다 .
· 영어 · 중국어 · 한국어 번역이 붙어 있어 혼자서도 공부할 수 있습니다 .
「배우기보다 익숙해 져라」는 말이 있듯이 표현을 몸에 배도록 익힙시다 .

目次

新しい「日本語能力試験」N1について

※この内容は、『新しい「日本語能力試験」ガイドブック概要版と問題例集 N1, N2, N3 編』（独立行政法人 国際交流基金、財団法人 日本国際教育支援協会）の情報をもとに作成しています。

試験日

年２回（７月と 12 月の初旬の日曜日）

※海外では、試験が年１回の都市があります。

レベルと認定の目安

レベルが４段階（１級～４級）から５段階（N1 ～ N5）になりました。

旧		新	
１級	→	N1	旧試験の１級よりやや高めのレベルまで測定。 合格ラインは旧試験の１級とほぼ同じ。

N1 の認定の目安は、「幅広い場面で使われる日本語を理解することができる」です。

試験科目と試験時間

N1	言語知識（文字・語彙・文法）・読解	聴解
	（110 分）	（60 分）

合否の判定

「得点区分別得点」と、それらを合計した「総合得点」の二つで合否判定を行います。
得点区分ごとに基準点が設けられており、一つでも基準点に達していない場合は、総合得点が高くても不合格になります。

N1	言語知識（文字・語彙・文法）	読解	聴解
0 ～ 180 点	0 ～ 60 点	0 ～ 60 点	0 ～ 60 点
総合得点	得点の範囲		

（得点区分：言語知識（文字・語彙・文法）、読解、聴解）

N1「文法」の問題構成と問題形式

大問		小問数	ねらい
文の文法1 （文法形式の判断）	○	10	文の内容に合った文法形式かどうかを判断することができるかを問う
文の文法2 （文の組み立て）	◆	5	統語的に正しく、かつ、意味が通る文を組み立てることができるかを問う
文章の文法	◆	5	文章の流れに合った文かどうかを判断することができるかを問う

◆旧試験では出題されなかった新しい問題形式のもの　　○旧試験でも出題されていた問題形式のもの

〈文の文法1〉の問題

次の文の（　　）に入れるのに最もよいものを、1・2・3・4から一つ選びなさい。

例）いまさら謝った（　　）、許されないだろう。

1　ところで　　2　といえども　　3　にせよ　　4　ばかりに

● ② ③ ④

〈文の文法2〉の問題

次の文の＿★＿に入る最もよいものを、1・2・3・4から一つ選びなさい。

例）宿題が出される ＿＿ ＿＿ ＿★＿ ＿＿ いつもギリギリになってしまう。

1　終わらせようと　　2　たびに　　3　思いながらも　　4　早く

● ② ③ ④

〈文章の文法〉の問題

次の文章を読んで、［1］から［5］の中に入る最もよいものを、1・2・3・4から一つ選びなさい。

※500～700字程度の中文を読んで、文章の流れに合った語彙、接続詞、文末表現などを選びます。

試験日、実施地、出願の手続きのしかたなど、新しい「日本語能力試験」の詳しい情報は、日本語能力試験のホームページ https://www.jlpt.jp をご参照ください。

この本の使い方

How to use this book　本书的使用方法　이 책의 사용법

◆本書は、第１週～第８週までの８週間で勉強します。日本語能力試験で出題される文法項目を、１日に３つ～５つずつじっくり勉強していきます。

This book is to be used as a eight-week study guide. Each day, you will study three to five grammatical items found on the Japanese-Language Proficiency Test (JLPT).

本书分 8 周（第 1 周～第 8 周）学习，每天各学习 3 ～ 5 个日语能力考试中会出题的语法项目，踏踏实实地学下去。

본책은 제 1 주 ~ 제 8 주까지 8 주동안 공부합니다. 일본어능력시험에 출제된 문법항목을 하루에 3~5 개씩 꼼꼼하게 공부해 갑니다.

◇各ページのタイトルにも学習する文法項目が含まれています。しっかり読んで覚えましょう。

The title of each page contains the day’s grammatical items. Read and learn them well.

各页标题都含有要学的语法条目。读一读，把它牢牢记住。

각 페이지의 타이틀에도 학습할 문법항목이 포함되어 있습니다. 제대로 읽고 외웁시다.

◇まずここに書いてある問題を解いてみましょう。

Let’s start by answering the questions here.

请先试着解答这里所写的问题。

우선 여기에 쓰여 있는 문제를 풀어 봅시다.

◇文法項目ごとに例文がついています。下線部に注意して読みましょう。

（＝　）は下線部の意味です。やさしい日本語で書いてあります。

Each grammatical item has its own example sentences. Pay close attention to the underlined parts.

The sentences in brackets（＝　）repeat the same meanings using easier Japanese.

每个语法条目都带有例文。阅读时要注意下划线部分。

（＝　）是下划线部分的含义。都是简单易懂的日语。

문법 항목마다 예문이 붙어 있습니다. 밑줄에 주의해서 읽읍시다.

（＝　）는 밑줄 친 부분의 뜻입니다. 쉬운 일본어로 써 있습니다.

◇例文には英語・中国語・韓国語の翻訳がついています。

Examples have been translated into English, Chinese and Korean.

例句部分，附有英文、中文及韩文的翻译。

예문에는 영어・중국어・한국어 번역이 있습니다.

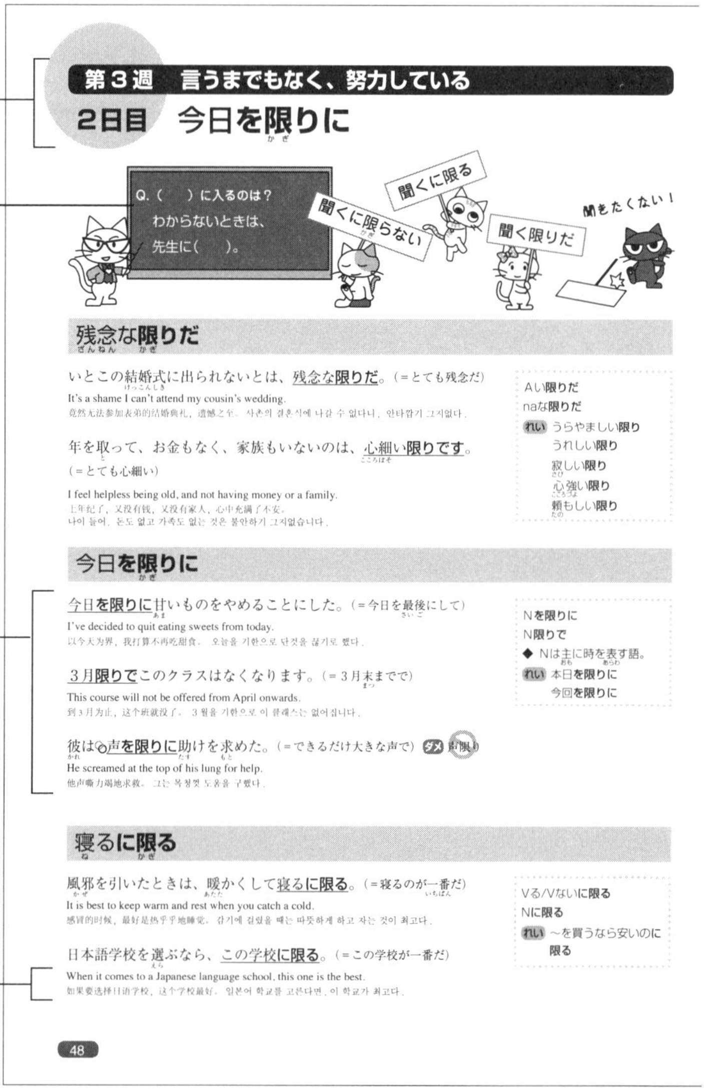

第３週　言うまでもなく、努力している

２日目　今日を限りに

Q.（　）に入るのは？
わからないときは、
先生に（　）。
聞くに限る
聞くに限らない
聞く限りだ
聞きたくない！

残念な限りだ

いとこの結婚式に出られないとは、残念な限りだ。（＝とても残念だ）
It’s a shame I can’t attend my cousin’s wedding.
竟然无法参加表弟的结婚典礼，遗憾之至。사촌의 결혼식에 나갈 수 없다니，안타깝기 그지없다.

年を取って、お金もなく、家族もいないのは、心細い限りです。（＝とても心細い）
I feel helpless being old, and not having money or a family.
上年纪了，又没有钱，又没有家人，心中充满了不安。
나이 들어，돈도 없고 가족도 없는 것은 불안하기 그지없습니다.

Aい限りだ
naな限りだ
れい うらやましい限り
うれしい限り
寂しい限り
心強い限り
頼もしい限り

今日を限りに

今日を限りに甘いものをやめることにした。（＝今日を最後にして）
I’ve decided to quit eating sweets from today.
以今天为界，我打算不再吃甜食。오늘을 기한으로 단것을 끊기로 했다.

３月限りでこのクラスはなくなります。（＝３月末までで）
This course will not be offered from April onwards.
到 3 月为止，这个班就没了。3 월을 기한으로 이 클래스는 없어집니다.

彼は○声を限りに助けを求めた。（＝できるだけ大きな声で）ダメ 声限り
He screamed at the top of his lung for help.
他声嘶力竭地求救。그는 목청껏 도움을 구했다.

Nを限りに
N限りで
◆ Nは主に時を表す語。
れい 本日を限りに
今回を限りに

寝るに限る

風邪を引いたときは、暖かくして寝るに限る。（＝寝るのが一番だ）
It is best to keep warm and rest when you catch a cold.
感冒的时候，最好是热乎乎地睡觉。감기에 걸렸을 때는 따뜻하게 하고 자는 것이 최고다.

日本語学校を選ぶなら、この学校に限る。（＝この学校が一番だ）
When it comes to a Japanese language school, this one is the best.
如果要选择日语学校，这个学校最好。일본어 학교를 고른다면，이 학교가 최고다.

Vる/Vないに限る
Nに限る
れい ～を買うなら安いのに限る

48

◆各週の１日目から６日目までは形や使い方が似ている文法項目の学習です。７日目は日本語能力試験形式の実戦問題で、その週で勉強したことを確認します。

Every week, from Day 1 to Day 6, you will study grammatical items which are similar in form and usage. On Day 7, you will check to see if you have learned them by doing the "*Jissen Mondai*" (Practice Test), that is in JLPT format.

每周从第 1 天到第 6 天学习形式及使用方法相似的语法条目。第 7 天是日语能力考试形式的实战问题，检测当周所学的内容。

각주의 1 일째부터 6 일째까지는 형태나 사용법이 닮은 문법항목의 학습입니다. 7 일째는 일본어능력시험 형식의 실전문제로, 그 주에 공부한 것을 확인합니다.

1日目～6日目	7日目	
1日に3つ～4つずつ 機能語を学習	実戦問題で 力がついたか確認	→ 次の週へ

我が国に限ったことではない　硬

若者の言葉遣いが悪いのは、<u>我が国に限ったことではない</u>。
(＝我が国だけではない)

It is not only in this country that young people do not know how to properly use the language.
年轻人说话粗鲁，并不只限于我们国家。 젊은이들의 말씨가 나쁜 것은 우리나라에 한한 것은 아니다.

夏にインフルエンザがはやったのは、<u>今年に限ったことではなく</u>、去年も同様だった。
(＝今年だけのことではなく)

A flu broke out not only this summer but last summer as well.
夏天爆发流感并不只是今年的事，去年也一样。 여름에 인플루엔자가 유행한 것은 올해에한정된 것은 아니고, 작년도 마찬가지였다.

Nに限ったことで(は/も)ない
◆「Nに限らない」の硬い表現

第三週

◇例文の横に、接続や活用など、使い方がまとめてあります。(接続の表示方法は p.11 参照)

Beside the example sentences, you will find a list of usage examples including conjunctions and conjugations. (See p.11 for an explanation of how connected phrases are displayed)

例句旁边总结包括接续形式、活用等的使用方法。(接续表示方法：p.11)

예문 옆에, 접속이나 활용 등, 사용법을 정리해 놓았습니다.(접속 표시 방법은 p.11)

練習Ⅰ 正しいほうに○をつけなさい。

① 応援していたチームが試合に負けてしまって残念（a. な限りだ　b. に限る）。

② 新築の家を買った。今月（a. を限りに　b. に限り）このマンションともお別れだ。

③ 風邪をひいたときは、薬など飲むよりゆっくり寝る（a. に限る　b. 限りだ）。

④ 朝の電車が混んでいるのは、今日に（a. 限る　b. 限った）ことではない。

⑤ 宝くじに当たったなんて、なんともうらやましい（a. 限ったことではない　b. 限りだ）。

練習Ⅱ 下の語を並べ替えて正しい文を作りなさい。＿＿に数字を書きなさい。

⑥ そのドラマは、視聴率が ＿＿ ＿＿ ＿＿ ＿＿ 打ち切られることになった。

1　を限り　　2　に　　3　伸びず　　4　10回目

⑦ 漢字が書けなくなったのは、＿＿ ＿＿ ＿＿ ＿＿ なってからずっとだ。

1　コンピューターを使うように　　2　最近
3　ではなく　　4　に限ったこと

(答えは p.51)

◇理解を確認するための練習問題です。答えは次の日の最後にあります。

These are drills to test your understanding. The answers are at the end of the following day's lesson.

练习题来检验是否已理解、掌握。答案在第二天的最后。

이해를 확인하기 위한 연습문제입니다. 답은 다음 날 마지막에 있습니다.

◇左ページ上の問題の答えです。

This is the answer to the question at the top of the opposite page.

这是左页上方问题的答案。

이것은 왼쪽 페이지 위에 있는 문제의 답입니다.

47ページの答え：Ⅰ－①a ②a ③b ④a ⑤b
Ⅱ－⑥2→1→4→3 ⑦3→2→4→1

49

◇前の日の「練習」の答えです。

These are the answers to the previous day's drills.

前一天的"练习"答案。 전날의"연습"의 답입니다.

◆1日目～6日目まではＮ３以上の漢字の下にルビがついています。ルビを隠しながら読むと漢字を読む練習になるでしょう。

７日目の実戦問題は、日本語能力試験に合わせて、Ｎ１レベルより難しい漢字の上にルビをつけてあります。

The kana reading in the daily lessons is found underneath the kanjis which are at the N3 level or above. It will be good practice for reading if you cover the kana as you study.
The practice tests on Day 7 will have kana only for words above the JLPT N1 level.
第 1 天到第 6 天部分的 N3 以上的汉字均附有注音假名。如果把注音假名隐藏起来读，就能练习阅读汉字。
第 7 天的实战问题参照日语能力考试，比 N1 难的汉字附有注音假名。
1 일째 ~6 일째까지는 N 1 이상의 한자의 밑에 읽기가 달려 있습니다 . 읽기를 가리고 읽으면 한자를 읽는 연습이 될 것입니다 .
7 일째의 실전문제는 일본어 능력시험에 맞추어 N1 레벨보다 어려운 한자 위에 읽기를 달아 놓았습니다 .

◆接続は、主な品詞・活用形のうち、よく使われるものだけ表示しています。実際に使われている接続の形すべてを表示しているわけではありません。

Of the major parts of speech and conjugated forms, only phrases that are often used with the grammar pattern will be given. It is not the case to include all the phrases that are actually used.
只有重点词和重点活用形才标有接续用法，并不是所有实际被使用的接续用法都会被标出来。
접속은 , 주요 품사・활용형 중 , 자주 쓰이는 것에만 표시했습니다 . 실제로 쓰이고 있는 접속 형태 모두를 표시하지는 않았습니다 .

◆問題を解いたら、必ず答え合わせをしましょう。７日目の「実戦問題」の答えや難しい表現の解説は別冊「解答・解説」に書いてあります。巻末についていますので、取り外して使ってください。

After you answer the questions, check to see if your answers are correct. Answers to Day 7's "*Jissen Mondai*" (Practice Exercise) can be found in the removable "*Kaitoo/Kaisetsu*" (Answers and Explanations) booklet attached at the back of this book.
答题后，一定要对答案。第七天的实战问题的答案、难度深的表现法的解說，均在"解答・解説"附冊中。附册在本书的最后，请取下来使用。
문제를 풀면 반드시 해답을 맞춰 봅시다 . 일곱째날의 " 실전문제 " 답과 , 어려운 표현의 해설은 별책 " 해답・해설 " 에 쓰여 있습니다 . 책 끝에 붙어 있으니 따로 떼어서 사용하세요 .

◆「実戦問題」は、時間を計って、テストのつもりで解きましょう。制限時間内に終わらない場合も最後まで続けましょう。

When answering the "*Jissen Mondai*" (Practice Exercise), please time yourself to simulate the actual test situation. However, answer all the questions even if you are unable to finish within the time limit.
第七天的"实战问题"部分计算时间，就当作是一次考试吧。即使没能在规定的时间内完成，也坚持到最后吧。
" 실전문제 " 는 시간을 재서 시험을 보듯 풀어보세요 . 제한시간 내에 끝내지 못하더라도 끝까지 풀어봅시다 .

●表記について●

例文や解説では、新聞・雑誌などで使用されている表記を採用しています。これは、単に試験対策というだけでなく、日常的な日本語使用に堪える力をつけていただきたいと考えるためです。選択肢については、日本語能力試験でかな表記で出題されることが多いため、解説の表記にかかわらず、かな表記を多用しています。

接続の表示方法

How connected phrases are displayed　接续表示法　접속 표시 방법

〈　〉はほかの本で使用されているほぼ同じ意味の文法用語を表しています。

Terms in 〈　〉 brackets are grammatical terms of nearly the same meaning found in other books.

〈　〉表示其他书中使用的基本相同的语法。　〈　〉는 다른 책에서 사용되고 있는 거의 같은 의미의 문법용어를 나타내고 있습니다.

■動詞〈verb〉

五段動詞 V-*u*〈グループⅠ動詞／--*u* verb〉　ex. 行く／読む

一段動詞 V-*ru*〈グループⅡ動詞／--*ru* verb〉　ex. 見る／寝る

不規則動詞 V-irr.〈グループⅢ動詞／irregular verb〉　ex. する／来る

解説文中の表示	活用形	V-*u*	V-*ru*	V-irr	
Vる	基本形〈現在形／non-past〉 辞書形〈終止形／dictionary form〉	いく	みる	する	くる
Vない V~~ない~~	ナイ形〈未然形／negative form〉	いかない いか	みない み	しない し	こない こ
V~~ます~~	マス形〈連用形／*masu* form〉	いき	み	し	き
Vて	テ形〈*te* form〉	いって	みて	して	きて
Vた	タ形〈過去形／past〉	いった	みた	した	きた
Vている	テイル形〈*teiru* form〉	いっている	みている	している	きている
Vば	バ形〈仮定形／*ba* form〉	いけば	みれば	すれば	くれば
Vよう	意向形〈volitional/tentative〉	いこう	みよう	しよう	こよう
Vれる	可能形〈potential〉	いける	みられる	できる	こられる
Vられる	受身形〈passive〉	いかれる	みられる	される	こられる
Vさせる	使役形〈causative〉	いかせる	みさせる	させる	こさせる
命令形	命令形〈imperative〉	いけ	みろ	しろ	こい

普：普通形（上記の辞書形／ナイ形／タ形　ex. いく／いかない／いった／いかなかった など）

表示の例

V/A/na/N普せいで

❗ na~~だ~~なせいで／N~~だ~~のせいで

○ するせいで／しないせいで／したせいで
しなかったせいで
高いせいで／高くないせいで
高かったせいで／高くなかったせいで
ひまなせいで／ひまじゃないせいで
ひまだったせいで／ひまじゃなかったせいで
雨のせいで／雨じゃないせいで
雨だったせいで／雨じゃなかったせいで など

× ひまだせいで／雨だせいで

動詞・い形容詞・な形容詞・名詞の普通形に接続するが、名詞は「名詞＋だ」ではなく「名詞＋の」、な形容詞は「な形容詞語幹＋だ」ではなく「な形容詞語幹＋な」になる。

These expressions,「せいで」, for example, come after verbs, *i*-adjectives, *na*-adjectives, and nouns. With nouns, it is preceeded by *-no* (not *-da*) while with *na* adjective stems, it is preceeded by *-na* (not *-da*).

接动词・形容词・形容动词・名词的普通型，名词不是「名词＋だ」而是「名词＋の」，形容动词不是「形容动词词干＋だ」而是「形容动词词干＋な」。

동사・い형용사・な형용사・명사의 보통형에 접속하지만, 명사는「명사＋だ」가 아닌「명사＋の」, な형용사는「な형용사 어간＋だ」가 아닌「な형용사어간＋な」가 된다.

■い形容詞〈形容詞、*-i* adjective〉

解説文中の表示	活用形	い形容詞	
Aくない	ナイ形〈未然形／negative form〉	たかくない	うつくしくない
Aくて	テ形〈*te* form〉	たかくて	うつくしくて
Aい	辞書形〈終止形／dictionary form〉 基本形〈現在形／non-past〉	たかい	うつくしい
Aかった	タ形〈過去形／past〉	たかかった	うつくしかった
Aければ	バ形〈仮定形／*ba* form〉	たかければ	うつくしければ

普：普通形（上記の辞書形／ナイ形／タ形）

ex. たかい、たかくない、たかかった、たかくなかった　など

■な形容詞〈形容動詞、*-na* adjective、*-na* noun〉

解説文中の表示	活用形	な形容詞
na/na~~だ~~	語幹〈root／stem〉	ひま
naな	基本形〈現在形／non-past〉	ひまな
naでない	ナイ形〈未然形／negative form〉	ひまじゃない／ひまではない
naで	テ形〈*te* form〉	ひまで
naだ	辞書形〈終止形／dictionary form〉	ひまだ
naだった	タ形〈過去形／past〉	ひまだった
naなら	バ形〈仮定形／*ba* form〉	ひまなら

普：普通形（上記の辞書形／ナイ形／タ形）

ex. ひまじゃない、ひまだ、ひまだった、ひまじゃなかった　など

■名詞〈noun〉

※ 接続を解説するために、名詞は名詞に助動詞「だ」や助詞「の」を付けた形で示しています。
In order to explain the connected words, nouns are shown in the form used with the auxiliary verb *da* and the particle *no*.
为说明接续形式，名词用名词＋「だ」或「の」的形式表示。
접속을 해설하기 위해, 명사는 명사에 조동사「だ」나 조사「の」를 붙인 형태로 표시하고 있습니다.

解説文中の表示	活用形	名詞
N/N~~だ~~/N~~する~~	語幹〈root／stem〉	あめ　※N~~する~~＝スル名詞（ex. 勉強、説明）
Nの	基本形〈現在形／non-past〉	あめの
Nでない	ナイ形〈未然形／negative form〉	あめじゃない／あめではない
Nで	テ形〈*te* form〉	あめで
Nだ	辞書形〈終止形／dictionary form〉	あめだ
Nだった	タ形〈過去形／past〉	あめだった
Nなら	バ形〈仮定形／*ba* form〉	あめなら

普：普通形（上記の辞書形／ナイ形／タ形）

ex. あめだ、あめじゃない、あめだった、あめじゃなかった　など

第1週

努力してこそ合格できる

今週の表現

一日目
- □親になって**こそ**
- □苦労**こそあれ**
- □感謝**こそすれ**
- □見た目**こそ**悪いが…

二日目
- □そんなことする**くらいなら**
- □君**ぐらいのものだ**
- □できる**ものとして**
- □10月に行う**ものとする**

三日目
- □慌てる**ことのないように**
- □状況を知る**ことなしに**
- □彼の**ことだから**
- □この話は聞かなかっ**たことにしてください**

四日目
- □問題だ**とされる**
- □学生時代のこと**が**思い出**される**
- □感心**させられる**
- □私**に**言**わせれば**

五日目
- □忙しい**とみえて**
- □大きい地震が来る**とみられる**
- □難しい**とみると**
- □歩いて行く**とすれば**

六日目
- □危ない**ところを**
- □2、3時間**というところだ**
- □何回読ん**だところで**
- □忘れよう**としたところで**

第１週　努力してこそ合格できる

１日目　感謝こそすれ

Q.（　　）に入るのは？
彼の作文は小さい間違いこそ（　　）、よく書けている。
すれ
あれ
して
ない

親になってこそ

親になってこそ、親の苦労や気持ちがわかるものだ。

（＝親になってからはじめて）

Only after you have your own child, can you understand how difficult it is to raise a child.

只有自己当了父母，才能体会父母的辛苦和心情。

부모가 되고나서야말로 부모의 고생이나 기분을 아는것이다.

生活費を自分で**稼いでこそ**、自立していると言える。

（＝稼ぐようになってはじめて）

You can say that you are independent only after you begin to earn a living.

只有自己挣生活费，才能称得上是自立。　생활비를 자신이 벌고나서야말로 자립하고 있다고 말할 수 있다.

> Vてこそ
> （＝Vて はじめて）
> ◆過去のことには使えない。
> ダメ 親になってこそ母の苦労がわかった。
> →親になってこそ母の苦労がわかる。

苦労こそあれ　硬

苦労こそあれ、介護の仕事はやりがいがある。（＝苦労はあるけれど）

Nursing care is worth doing even though it is very hard.

虽然辛苦，但看护工作很有意义。　고생은 있을지언정 노인개호 일은 보람이 있다.

彼の日本語は小さい**間違いこそあれ**、ほとんど完璧だ。（＝小さい間違いはあるけれど）

Although he makes small mistakes, his Japanese is almost perfect.

他的日语尽管有些微小错误，但几乎完美无缺。　그의 일본어는 조금 틀리는 것은 있지만 거의 완벽하다.

> Nこそ ┌ あれ
> naでこそ └ あるが

感謝こそすれ　硬

あなたには**感謝こそすれ**、恨んでなどいません。

（＝感謝はしているけれど、絶対に）

Despite what happened, I appreciate your kindness and I have no ill feelings.

对你只有感谢，根本不会恨你。　당신에게는 감사할지언정 원망 같은 건 없습니다.

白髪はふつう**増えこそすれ**、減ることはない。

（＝増えることはあるが、絶対に）

Normally gray hair never decreases, it only increases.

白发一般情况只会越来越多，不会减少。　백발은 보통 느는 것은 있지만 줄어드는 경우는 없다.

> V~~ます~~こそすれ
> Nこそすれ
> ◆後文が「絶対～ではない」ということの強調。

見た目こそ悪いが…

父の料理は見た目こそ悪いが、とてもいい味をしている。
（＝悪いのは見た目だけで）

My father's dishes don't look nice but they are delicious.
爸爸做的饭虽然外观差，但味道相当好。　아버지의 요리는 보기에는 나쁘지만, 무척 맛이 좋다.

Nこそ［～が… ／ ～けれど…
◆ 強調

このキノコは色と形こそきれいだが、毒があって食べることはできない。
（＝色と形はきれいだが）

The colour and shape of this mushroom are beautiful but it is poisonous and cannot be eaten.
这种蘑菇虽然颜色和形状漂亮，但有毒，不能吃。　이 버섯은 색과 형태야말로 예쁘지만 독이 있어서 먹을 수 없다.

練習Ⅰ　正しいほうに○をつけなさい。

① その国で生活（a. してこそ　b. したこそ）文化がわかるというものだ。

② 程度の違いこそ（a. あれ　b. すれ）、悪いことをしたのは皆同じだ。

③ 彼は字（a. こそ　b. こそすれ）汚いが、いい文章を書く。

④ ここは、（a. 不便な　b. 不便で）こそあれ、緑が多くていいところだ。

⑤ 文章は理解（a. こそされて　b. されてこそ）意味がある。

練習Ⅱ　下の語を並べ替えて正しい文を作りなさい。＿＿に数字を書きなさい。

⑥ 君のやったことは、＿4＿ ＿3＿ ＿2＿ ＿1＿ ではない。32

1　非難される　　2　すれ　　3　ほめられこそ　　4　もの

⑦ その２つの ＿1＿ ＿2＿ ＿4＿ ＿3＿ 中身に大きな違いはない。

1　製品は　　2　名前　　3　違うが　　4　こそ

（答えは p.17）

2日目　できるものとして

Q.（　　）に入るのは？
この仕事ができるのは、
彼ぐらいの(　　)だ。
もの
ひと
こと
ぼく

そんなことするくらいなら

そんなことをする**くらいなら**、死んだほうがましだ。
（＝そんなことをするのはとてもいやだ。それなら…）

I would rather die than do that.
如果要干这种事情，还不如死了好。　그런 것을 할 정도라면 죽는것이 낫다.

友達を傷つける**くらいなら**、自分が我慢したほうがいい。
（＝傷つけるのはとてもいやだ。それなら…）

I would rather tolerate it than hurt my friend’s feelings.
如果要伤害朋友，还不如自己忍耐。　친구에게 상처를 줄 정도라면 자기가 참는 편이 좋다.

> Vる**くらいなら**
> Vる**ぐらいなら**
>
> ◆とてもいやだという気持ち。
>
> れい　Vる**くらいなら**～ほうがましだ
> 　　　Vる**くらいなら**～ほうがいい
> 　　　Vる**くらいなら**～なさい

君ぐらいのものだ

彼が仕事を辞めないように説得できるのは、**君ぐらいのものだ**。
（＝君しかいない）

You are the only one who can talk him out of quitting work.
能劝他不要辞去工作的人，只有你了。　그가 일을 그만두지 않도록 설득할 수 있는 것은 너정도이다.

君が受かるのは、**このランクの大学ぐらいのものだ**。（＝このランクの大学しかない）
You can only aim for the universities at this level.
你能考上的顶多是这个层次的大学。 네가 붙는 것은 이 랭크의 대학정도이다.

> （～のは）N**くらい**　┐ **のものだ**
> （～のは）N**ぐらい**　┘ **なものだ**

できるものとして

中級漢字はできる**ものとして**、上級漢字のクラスを取った。（＝できると考えて）
I took the advanced kanji class assuming that I was beyond the intermediate level.
觉得中级汉字已经掌握了，所以选择了高级汉字班。
중급 한자는 할 수 있는 것으로 치고 상급 한자의 클래스를 들었다.

田中さんはもう来ない**ものとして**、始めましょう。（＝来ないと考えて）
Let’s presume Tanaka-san is not coming and start without him.
就当田中不会来了，咱们开始吧。　다나카씨는 이제 오지 않는 것으로 치고 시작합시다.

> V/A/na/N㊥**ものとして**
> ❗ na~~だ~~→である／な
> 　N~~だ~~→である

10月に行う**ものとする** 硬

採用試験は、毎年10月に<u>行う**ものとする**</u>。（＝行う、と決める）
We administer the employment examination every October.
录用考试定于每年10月进行。　채용 시험은 매년 10월에 행하는 것으로 한다.

契約の延長は、双方の<u>同意による**ものとする**</u>。
（＝同意による、と決める）
The extension of the contract must be agreed by both parties.
规定合同的延长需要双方的同意。　계약 연장은 쌍방의 동의에 의한 것으로 한다.

> Vる**ものとする**
> ◆契約書などに多く出てくる表現

練習Ⅰ 正しいほうに○をつけなさい。

① たぶん行けないと思うので、私はいない（a. ものとして　b. 人として）話を進めてください。

② 愛する人が病気で苦しむのを見るくらいなら、（a. 見ないほうがましだ　b. 自分が病気になったほうがいい）。

③ 転勤でそんな田舎に行かされる（a. くらいなら　b. ものだから）、会社を辞めたほうがいい。

④ ぼくが買える家は、これ（a. ぐらいにしたものだ　b. ぐらいのものだ）。

⑤ 契約の期限が来た場合には、新たに契約書を交わす（a. ものになる　b. ものとする）。

練習Ⅱ 下の語を並べ替えて正しい文を作りなさい。＿＿に数字を書きなさい。

⑥ 昨日授業で教えた ＿2＿ ＿4＿ ＿1＿ ＿3＿ 次に進みます。

1　もの　　2　ことは　　3　として　　4　わかった

⑦ そんなことを ＿1＿ ＿4＿ ＿3＿ ＿2＿ ほうがましだ。

1　させられる　　2　参加しない　　3　なら　　4　くらい

43

（答えはp.19）

15ページの答え：	Ⅰ－①a　②a　③a　④b　⑤b
	Ⅱ－⑥3→2→1→4　⑦1→2→4→3

3日目　彼のことだから

Q.（　）に入るのは？
もう暗くなった（　）だから、帰ったほうがいいよ。
こと
そう
だけ
夜

慌てる**ことのないように**

災害が来ても<u>慌てる**ことのないよう**</u>、日頃から準備しておこう。
（＝慌てないように）

Vる**ことのないよう（に）**

We should be prepared for a disaster so that we can deal with it when it comes.
为了能在灾害来临之时不慌乱，我们还是平时做好准备吧。　재해가 와도 당황하는 일이 없도록 평소부터 준비해 두자.

今後、このような犯罪と<u>関わる**ことのないように**</u>注意してください。（＝関わらないように）
Please make sure you do not get involved in this kind of crime again.
今后请注意不要再和这样的犯罪有关系。　앞으로 이와 같은 범죄에 연루되는 일이없도록 주의하세요.

状況を知る**ことなしに**　硬

今の状況を<u>知る**ことなしに**</u>、未来を予測することはできない。
（＝知らないで／知ることなく）

Vる**ことなしに（は）**

It isn't possible to predict the future unless we understand the present situation.
如果不了解现在的状况，就不能预测未来。　지금의 상황을 알지 못하고 미래를 예측할 수는 없다.

過去の事例を<u>見る**ことなしに**</u>、解決方法は見えてこないだろう。（＝見ないで／見ることなく）
It will not be possible to find a solution without reviewing the past cases.
如果不看过去的事例，就不能找到解决办法。　과거의 사례를 보지 않고는 해결방법이 보이지 않을 것이다.

彼の**ことだから**

❶ <u>よくできる彼の**ことだから**</u>、合格は間違いないでしょう。
（＝彼はよくできるから、きっと）
He will surely pass the exam because he is so bright.
像他那样能干的人，合格肯定没问题吧。　그 사람은 잘 하니까 합격은 틀림없을거예요.

❶ Nの**ことだから**
◆推量が続く。

❷ <u>全員そろった**ことだから**</u>、時間前だけれど始めましょうか。
（＝全員そろったから）
It is not time yet but since everyone is here, let's start.
因为大家都聚齐了，虽然还不到时间，咱们开始吧。
전원이 모였으니까 아직 시간 전이지만 시작할까요?

❷ V/A/na/N普 ｜ **ことだから** / **ことだし**
❗ na~~だ~~な／である
N~~だ~~である

<u>もう誰も来ない**ことだし**</u>、店を閉めよう。（＝もう誰も来ないから）
We'll have no customers so let's close the store.
已经没有人再来了，咱们关店吧。　이제 아무도 오지 않으니 가게를 닫자.

この話は聞かなかったことにしてください

この話は聞かなかった**ことにしてください**。
（＝聞かなかったのと同じように扱(あつか)ってください）
Please pretend that you did not hear that.
这件事请当作没听到过。　이 말은 안 들은 것으로 해 주세요.

彼(かれ)は、大学を卒業(そつぎょう)し**たことになっている**けれど、実際(じっさい)は中退(ちゅうたい)したらしい。（＝卒業したと言われているけれど）
He tells everyone that he graduated from university but I gather he dropped out.
他名义上大学毕业了，听说实际上是中途退学。　그는 대학을 졸업한 것으로 되어 있지만, 실제는 중퇴한 것 같다.

> Vた／Aかった／na(だ)／N(だ)　(という)ことにする／(という)ことになる
> ◆事実(じじつ)とは反対(はんたい)に扱(あつか)うという意味。

練習Ⅰ　正しいほうに○をつけなさい。

① お互(たが)いが助(たす)け合(あ)うこと（a. なしに　b. だから）、人間は生きていけない。

② 明るい彼女(かのじょ)のこと（a. にして　b. だから）、どこへ行ってもすぐ友達(ともだち)ができるだろう。

③ 兄が書いたレポートを、自分が（a. 書いたことにして　b. 書くことなしに）提出(ていしゅつ)した。

④ 道に（a. 迷(まよ)うことのないように　b. 迷うことなしに）、前もって地図(ちず)で場所を確(たし)かめておいた。

⑤ 彼女(かのじょ)は今まで苦労(くろう)（a. する　b. した）ことなしに生きてきた。

練習Ⅱ　下の語を並(なら)べ替(か)えて正しい文を作りなさい。＿＿に数字(すうじ)を書きなさい。

⑥ ケチで有名(ゆうめい)な彼(かれ)　＿＿　＿＿　＿＿　＿＿　貸(か)してくれないだろう。

1　だって　　2　だから　　3　のこと　　4　百円

⑦ その2つの関連性(かんれんせい)を　＿＿　＿＿　＿＿　＿＿　のは困難(こんなん)だ。

1　こと　　2　証明(しょうめい)する　　3　なしに　　4　解決(かいけつ)する

（答えは p.21）

17ページの答え：　Ⅰ－①a　②b　③a　④b　⑤b
Ⅱ－⑥2→4→1→3　⑦1→4→3→2

4日目　私に言(い)わせれば

問題だ**とされる**

この国には、よい指導者(しどうしゃ)がいないのが一番の問題(だ)**とされている**。
（＝一番の問題だと言われている）

The biggest problem in this country is that there are no good leaders.
在这个国家里，没有好的领导人被认为是最大的问题。
이 나라에는 좋은 지도자가 없는 것이 가장 문제가 되어 있다.

> V/A/na/N 普 ┐
> N 　　　　　 ├ と される
> na 　　　　　┘

この物質(ぶっしつ)は植物(しょくぶつ)の生長(せいちょう)を促進(そくしん)する**とされる**。（＝促進すると言われる）
This substance is believed to promote plant growth.
这个物质被认为会促进植物的生长。　이 물질은 식물의 생장을 촉진한다고 되어 있다.

学生時代のこと**が**思い出**される**　硬

この曲(きょく)を聴(き)くと、学生時代のこと**が**思い出**される**。
（＝学生時代のことを自然(しぜん)と思い出す）

This song reminds me of my student days.
只要听到这个曲子，就会想起学生时代的事。　이 곡을 들으면 학창시절의 일이 생각난다.

彼(かれ)にひどいことを言ってしまったこと**が**悔(く)や**まれる**。
（＝言ってしまったことを悔やんでいる）

I regret saying such a terrible thing to him.
真后悔对他说了那么过分的话。　그에게 심한 말을 해 버린 것이 후회된다.

> （〜**が**）V**られる**《自発(じはつ)の受身形(うけみけい)》
> ◆意志(いし)と関係(かんけい)なく、ひとりでにその状態(じょうたい)になるという意味。
> れい　〜**と**考え**られる**
> 懐(なつ)かしく思**われる**
> 完成(かんせい)**が**待**たれる**
> 息子(むすこ)の将来(しょうらい)**が**案(あん)**じられる**

感心(かんしん)**させられる**

彼(かれ)の仕事ぶりには感心**させられる**。（＝感心している）
I am impressed with his work.
真是佩服他的工作状态。　그 사람이 일하는 모습에는 감동을 받는다.

隣(となり)の家の騒音(そうおん)に悩(なや)**まされている**。（＝悩んでいる）
I am troubled by the noise next door.
被邻居家的噪音困扰。　옆집 소음에 골치가 아프다.

> V**させられる**
> 《自発(じはつ)の使役受身形(しえきうけみけい)》
> れい　考え**させられる**
> 感じ**させられる**

私に言わせれば

彼は天才と言われているが、**私に言わせれば**、単なる努力家だ。
(＝私の意見では)

Some people think he's a genius, but I would say he is just a hard worker.
他是公认的天才，但如果让我来说，只不过是努力罢了。 그는 천재라고 하지만 , 내가 보기엔 단순한 노력가이다 .

> Nに言わせれば
> Nから言わせれば
> ◆N＝人

「もう私も 60 歳を過ぎて、年をとりましたよ。」
「いえ、**うちの親に言わせれば**、まだまだ若いそうですよ。」(＝私の親の意見では)
"I am already over 60 years old. I am old." "Not at all. My parents think you're still young."
"我也已经过 60 了，都老了。" "没有，要让我父母来说呀，这还年轻着呢。"
「벌써 나도 60 세를 넘어 나이를 먹었습니다 .」「아니에요 , 저희 부모님이 그러시는데 아직 젊다고 합니다.」

練習Ⅰ 正しいほうに○をつけなさい。

① 新しいロケットの完成が（a. 待たされます　b. 待たれます）。

② 彼は社会人として必要（a. とされている　b. にしている）知識に欠ける。

③ 我々の世代の人間に（a. 言わせれば　b. 言われれば）、彼の行動は普通ではない。

④ それは、死について真剣に（a. 考えされる　b. 考えさせられる）映画だった。

⑤ この新薬は、効果はあるが、副作用が強い（a. ことにされている　b. とされている）。

練習Ⅱ 下の語を並べ替えて正しい文を作りなさい。＿＿に数字を書きなさい。

⑥ 若者の海外移住が ＿＿ ＿＿ ＿＿ ＿＿ そうだ。

1　ことで　　2　その国の将来が　　3　増加している　　4　案じられている

⑦ 彼の ＿＿ ＿＿ ＿＿ ＿＿ そんなのはただの甘えだ。

1　私に言わせれば　　2　やる気がないように
3　言葉からは　　4　感じられたが

(答えは p.23)

19ページの答え：Ⅰ－①a　②b　③a　④a　⑤a
Ⅱ－⑥3→2→4→1　⑦2→1→3→4

５日目　難(むずか)しいとみると…

Q.（　　）に入るのは？
彼(かれ)は、外国人だ（　　）、だれにでも英語で話しかける。
みえて
とみると
とすれば
けれど

忙(いそが)しいとみえて

田中(たなか)さんは**忙しいとみえて**、このごろ電話もしてこない。
（＝忙しいようで）

V/A/na/N(普) と みえて / みえる

Tanaka-san seems to be very busy, that is maybe why he has not called.
田中看来很忙，最近连电话都不打。 다나카 씨는 바쁜 듯 요즘 전화도 하지않는다.

それを聞いて、彼(かれ)はしばらく声を出さなかった。かなり**驚(おどろ)いたとみえる**。（＝驚いたようだ）
He didn't say a word after he heard about it. He must have been very surprised.
听了这个，他好久没出声。看上去相当吃惊。 그것을 듣고 그 사람은 잠시 아무 말도꺼내지 않았다. 상당히 놀란 것 같다.

大きい地震(じしん)が来るとみられる

この地域(ちいき)では、今後(こんご)も大きい地震が**来るとみられている**。
（＝来ると考えられている）

V/A/Na/N(普)とみられる

This area is expected to have a major earthquake again in the future.
人们认为，在这个地区今后也会发生大的地震。 이 지역에는 앞으로도 큰 지진이 올 것으로 보인다.

その会社の再建(さいけん)は**難(むずか)しいとみられる**。（＝難しいと思われる）
It looks very difficult to rebuild the company.
那个公司的重建被认为很难。 그 회사의 재건은 어려울 것으로 보인다.

難(むずか)しいとみると

彼(かれ)は問題がちょっと**難しいとみると**、自分で考えないで人に聞く。
（＝難しいと思うと）

V/A/na/N(普)とみると

As soon as he finds a question a little difficult, he asks others for help without trying to solve it by himself.
他一旦发现问题有点难，就不再自己考虑，而是问别人。 그는 문제가 조금 어렵다고 보면 스스로 생각하지 않고 다른 사람에게 묻는다.

彼(かれ)は、店員(てんいん)が**韓国(かんこく)人だとみると**、必(かなら)ず韓国語で話しかける。
（＝韓国人だとわかると）
As soon as he notices that the sales clerk is Korean, he switches to Korean.
他只要发现店员是韩国人，肯定会用韩语搭话。 그 사람은 점원이 한국인으로 보이면반드시 한국어로 말을 건다.

彼女(かのじょ)は、男の人に**お金がないとみると**、急にその人に興味(きょうみ)がなくなるようだ。
（＝お金がないことがわかると）
As soon she notices that a man has no money, she loses interest.
她一发现男人没有钱，好像马上对那人失去了兴趣。 그 여자는 남자에게 돈이 없는 것 같으면, 갑자기 그 사람에게 흥미가 없어지나 보다.

歩いて行く**とすれば**

V/A/na/N普 ［**とすれば** / **とすると**］
（=～としたら）

そこまで歩いて行く**とすれば**、30分くらいかかるだろう。
（=もし歩いて行ったら）
It'll take about half an hour if you walk.
如果走着去那里的话，大约需要30分钟。 거기까지 걸어서 간다고 한다면 30분 정도 걸릴 것이다.

その話が本当だ**とすると**、大変なことだ。（=もし本当なら）
If that is true, we are in trouble.
如果那件事是真的，那就麻烦了。 그 이야기가 정말이라면 큰일이다.

練習Ⅰ 正しいほうに○をつけなさい。

① もし車を買い換える（a. とすれば　b. とみると）、次はドイツの車がほしい。

② 彼女は苦労した（a. として　b. とみえて）、実際の年齢より老けて見える。

③ 彼女の普段の成績から、合格は間違いないと（a. みられている　b. みえている）。

④ 彼は、女性が地方出身だ（a. とみると　b. とすれば）すぐに声をかける。

⑤ 彼が犯人（a. だとすると　b. だとみえて）、犯罪を犯した動機は何だろう。

練習Ⅱ 下の語を並べ替えて正しい文を作りなさい。＿＿に数字を書きなさい。

⑥ 景気は回復しつつ ＿＿ ＿＿ ＿＿ ＿＿ 人は少ないと思う。

1　が　　2　実感している　　3　ある　　4　とみられている

⑦ インフルエンザが ＿＿ ＿＿ ＿＿ ＿＿ 場合があるので、しばらくは薬を続けてください。

1　ウイルスは　　2　治った　　3　まだ残っている　　4　とみえても

（答えは p.25）

21ページの答え：Ⅰ－①b ②a ③a ④b ⑤b
Ⅱ－⑥3→1→2→4 ⑦3→2→4→1

6日目　何回読んだところで…

Q.（　　）に入るのは？
走った（　　）間に合わないだろうから、次の電車にしよう。
とすれば
としたって
となると
しかし

危ないところを

交通事故で命が危ない**ところを**、その医者に助けてもらった。
（＝命が危ない状況だった。そのとき）
I was saved by the doctor when I was in critical condition due to a traffic accident.
因交通事故生命垂危时被医生救活了。 교통사고로 목숨이 위험한 것을 그 의사에게 도움을 받았다.

V/A普
naな
Nの
］ところを

すぐにお礼の電話をしなければいけない**ところを**今になってしまい、申し訳ありません。
（＝電話をしなければいけない状況なのに）
I apologize for not having given you a thank-you call sooner.
虽然应该马上打电话致谢，但一直拖到现在，真是对不起。 곧 감사의 전화를 하지 않으면 안되는 것을 지금이 되 버려서 죄송합니다.

2、3時間**というところだ**

勉強時間は２、３時間**というところだ**。（＝だいたい２、３時間ぐらいだ）
I study about 2 or 3 hours (every day).
学习时间顶多就 2、3 个小时。공부 시간은 2,3 시간 정도이다.

N/［文］［というところだ／といったところだ

◆Nは数量が入ることが多い。

「例の書類はできましたか。」
「はい、あとはもう一度見直せばいい**といったところです**。」
（＝だいたいもう一度見直せばいいという状態です）
“Is the document we talked about ready?” “Yes, almost. I just have to review it again.”
“那个资料做好了吗？”“是的。然后顶多再改一次就行了。” 「예의 서류는 됐습니까.」「네, 이제는 다시 한 번 확인하면 됩니다.」

何回読ん**だところで**　（ー）

何回読ん**だところで**、意味は全くわから**ない**。（＝たとえ何回読んでも）
I can’t understand it no matter how many times I read it.
不管读多少次，还是完全不懂意思。몇 번 읽어서는 의미를 전혀 모른다.

Vたところで…ない
れい　いくらVたところで
　　　どんなにVたところで

◆悪い結果・状態が続くことが多い。

そんな多額の借金は、家を売っ**たところで**、到底返せ**ない**。
（＝たとえ売っても）
Even if we sell this house, we won’t be able to repay such a huge debt.
这么大额度的借款，就算是把房子卖了也偿还不起。그렇게 큰 빚은 집을 판다 한들 도저히 갚지 못한다.

忘(わす)れようとしたところで

これは<u>忘れよう**としたところで**</u>、忘れられない出来事(できごと)だ。
（＝忘れようとしても）

This is an incident I will never forget even if I try hard.
这是一件想忘也忘不掉的事情。이것은 잊으려 해도 잊을 수 없는 일이다.

V/A/na/N㊗ ［ としたところで / としたって💬

今から<u>急いだ**としたって**</u>間(ま)に合わないだろう。（＝急いだとしても）

We won’t make it even if we hurry now.
就算现在加急也来不及了吧。　지금부터 서두른다 해도 시간에 대지 못할 것이다.

練習Ⅰ 正しいほうに○をつけなさい。

① どんなに（a. 走るところを　b. 走ったところで）、絶対(ぜったい)に間(ま)に合わないだろう。

② お忙(いそが)しい（a. ところを　b. ところで）お集まりいただき、ありがとうございます。

③「ＣＤは月にどのくらい買うの。」「だいたい５枚(まい)（a. というところだ　b. ところだ）ね。」

④ 彼(かれ)の借金(しゃっきん)は、休みなく毎日働いた（a. ところを　b. ところで）、返(かえ)せるような額(がく)ではない。

⑤ あの頑固(がんこ)な父にタバコをやめさせよう（a にしたって　b. としたって）、無駄(むだ)だよ。

練習Ⅱ 下の語を並(なら)べ替(か)えて正しい文を作りなさい。＿＿に数字(すうじ)を書きなさい。

⑥ どんなにやった ＿＿ ＿＿ ＿＿ ＿＿ 変(か)えることはできない。

1 ところで　　2 後悔(こうかい)した　　3 ことを　　4 過去(かこ)を

⑦ トイレはもちろんキッチンもついていて、この車は ＿＿ ＿＿ ＿＿ ＿＿ です。

1 といった　　2 まさに　　3 走る家　　4 ところ

（答えは p.28）

23ページの答え： Ⅰ－①a　②b　③a　④a　⑤a
Ⅱ－⑥3→4→1→2　⑦2→4→1→3

7日目　実戦問題

制限時間：15分
1問4点×25問

点数

／100

答えは別冊 p.2

問題1　次の文の（　　）に入れるのに最もよいものを、１・２・３・４から一つ選びなさい。

1　彼のゴルフの腕はなかなかのものだが、プロの（　　　）、まだまだだ。

1　私が言うのは　　2　私から言わせれば　3　私に言われると　　4　私から言っては

2　まじめな彼女（　　　）、無断で休むということはないでしょう。

1　としているから　　2　としたところで　　3　に言わせれば　　4　のことだから

3　ぼくの貯金は（　　　）、増えることはない。

1　減ることにして　　2　減らずとみえて

3　減ることのないように　　4　減りこそすれ

4　無駄な道路工事をする（　　　）減税してほしい。

1　くらいなら　　2　ものならば　　3　とみると　　4　こそあれ

5　練習（　　　）、どんなスポーツも上達することはない。

1　することなしに　　2　しなかったことにして

3　するとみえずに　　4　しないところを

6　今年は消費税の値上げはない（　　　）が、来年あたりはあるかもしれない。

1　とされている　　2　とさせられている

3　ものになっている　　4　ものだとしたところ

7　その会社は業績が悪い（　　　）、あちこちの支店を閉店した。

1　とみえて　　2　とみられて　　3　とさせて　　4　とさせられて

8　仕事といっても、月に2、3回（　　　）ところです。

1　ぐらいなら　　2　とみる　　3　こその　　4　という

9　このきゅうりは、（　　　）味は抜群にいい。

1　形が悪いこそあれ　　2　形の悪さこそすれ

3　形こそ悪いが　　4　形こそ悪さあれ

10　この仕組みを（　　　）無駄だよ。この会社は君が思う以上に保守的だから。

1　変えようとしたって　　2　変えようとみると

3　変えることなしに　　4　変えるとされても

11 今時（いまどき）、こんな古い洗濯機を使っているのは、うち（　　　）。

1　ぐらいのところだ　　2　ぐらいのものだ
3　ぐらいだとしている　　4　ぐらいだとされている

12 高速料金の割引で、今度の連休は例年以上に渋滞する（　　　）。

1　ものとしている　　2　ところだとみえる
3　とみられている　　4　としたところだ

13 契約書は双方（そうほう）がそれぞれ保管する（　　　）。

1　ようとする　　2　ものとする　　3　ぐらいになる　　4　こととみる

14 過去の失敗は過ぎたものとして（　　　）。

1　どうしても覚えているものだ　　2　思い出そうとしても思い出せない
3　思い出さずにはいられない　　4　忘れてしまうほうがいい

15 寝ないでやったところで、（　　　）。

1　疲れすぎて熟睡できないだろう
2　それを完成させるのは不可能だろう
3　もう少し長く続けることができるだろう
4　なんとかそれを仕上げることができるだろう

問題2　次の文の ＿★＿ に入る最もよいものを、１・２・３・４から一つ選びなさい。

16 ＿＿＿ ＿＿＿ ＿★＿ ＿＿＿ かなりの額になるだろう。

1　その分を貯めた　　2　ことにして　　3　とすれば　　4　外食した

17 その政治家は、国民の信頼を ＿＿＿ ＿＿＿ ＿★＿ ＿＿＿ ことを約束した。

1　ことの　　2　裏切ったりする　　3　心がける　　4　ないように

18 彼は簡単だと ＿＿＿ ＿＿＿ ＿★＿ ＿＿＿、不可能としか思えない。

1　言うが　　2　私に　　3　やったことがない　　4　言わせれば

19 留学生の多くが、程度の違い ＿＿＿ ＿＿＿ ＿★＿ ＿＿＿ 。

1　とみえる　　2　に悩まされている
3　言葉の問題　　4　こそあれ

20 うちの息子は ＿＿＿ ＿＿＿ ＿★＿ ＿＿＿ ようで困ったものだ。

1　天気が悪い　　2　気が失せる　　3　とみると　　4　学校へ行く

問題3　次の文章を読んで、［21］から［25］の中に入る最もよいものを、1・2・3・4から一つ選びなさい。

相撲の世界は大変厳しいものである。日本古来の伝統を重んじる縦社会の中で、しきたりを学びながら激しい稽古(けいこ)を積む［21］、上に上がっていくことはできない。

しかし、全体で700名余りいる力士の中で「関取(せきとり)」と呼ばれる十両(じゅうりょう)(注1)格(かく)以上に上がれる者はわずか1割［22］。それでもこの関取［23］、世間で一人前の力士として認められるのである。

中には、そんな下働きや苦労を何年もする［24］別の道を選んだほうがいいと、途中でその道をあきらめてしまう者も少なくない。年配の人に言わせれば、そのくらいの苦労は何でもないと一蹴(いっしゅう)(注2)されそうだが、現代の若者にとっては想像以上のつらい生活なのだろう。

だからこそこういった困難を乗り越えて、関取の地位を手にした力士には本当に［25］。

（注1）十両(じゅうりょう)：相撲の階級の一つ。幕内(まくうち)に次ぐ位置。　（注2）一蹴(いっしゅう)される：はねつけられる。

［21］　1　にしたって　2　ものとなく　3　とみると　4　ことなしに

［22］　1　としているものだ　2　といったところだ　3　とさせられている　4　ということにしている

［23］　1　になってこそ　2　にしたらこそ　3　のことだから　4　とされているから

［24］　1　くらいなら　2　ものとして　3　ところで　4　ところを

［25］　1　感心される　2　感心させられる　3　感心だとされている　4　感心とされている

敬語(けいご)①　貴(き)・尊(そん)・高(こう)　ー尊敬(そんけい)語ー

貴　**貴社**(きしゃ)（＝**御社**(おんしゃ)）：貴社のご発展(はってん)を祈(いの)ります。（＝あなたの会社）

＊商用文(しょうようぶん)によく使う。

貴校(きこう)：貴校を志望(しぼう)した理由は……（＝あなたの学校）

＊面接(めんせつ)や願書(がんしょ)を書くときによく使う。

尊　**尊父**(そんぷ)：御(ご)尊父によろしくお伝(つた)えください。（＝あなたのお父さん）

＊「御」をつけることが多い。

高　**高説**(こうせつ)：御(ご)高説を拝聴(はいちょう)いたしました。（＝あなたの話）

＊「御」をつけることが多い。

これらは、相手(あいて)に関(かん)する語について、尊敬の意味を表(あらわ)します。

25ページの答え：　Ⅰ－①b　②a　③a　④b　⑤b
Ⅱ－⑥3→2→1→4　⑦2→3→1→4

第2週

私なりに努力(どりょく)している

今週の表現(ひょうげん)

一日目

- □電話する**なり**メールする**なり**
- □できない**なら**できない**なりに**
- □会う**なり**

二日目

- □先生**であれ**、学生**であれ**
- □雨が降(ふ)ろ**うが**雪(ゆき)が降ろ**うが**
- □**どんなに**高かろ**うが**

三日目

- □うれしい**というか**、残念(ざんねん)**というか**
- □降(ふ)ろ**うと**降る**まいと**
- □行こ**うか**行く**まいか**
- □来る**にせよ**来ない**にせよ**

四日目

- □雑誌(ざっし)**だの** DVD **だの**
- □デザイン**といい**、色**といい**
- □子ども**が**子ども**なら**、親(おや)**も**親**だ**
- □子ども**といわず**、大人**といわず**

五日目

- □こんなに雪(ゆき)が降(ふ)っ**ては**
- □鏡(かがみ)を見**ては**
- □食べ**ては**寝(ね)て、食べ**ては**寝(ね)て
- □行き**つ**戻(もど)り**つ**

六日目

- □いい**とも**悪い**とも**言えない
- □なかっ**たら**なかっ**たで**
- □喜(よろ)んでいい**のやら**悲しんでいい**のやら**
- □**いつまで**続(つづ)く**のやら…**

第２週　私なりに努力している

１日目　私なりに

Q.（　　）に入るのは？
弟は、家に帰る（　　）、コンピューターの電源を入れる。
でんげん
なり
とたん
として
すぐに

電話する**なり**メールする**なり**

電話**なり**メール**なり**で、彼に連絡してください。
（＝電話でもメールでもどの方法でも）
Please get in touch with him by phone or e-mail (or whatever).
打电话也好，发邮件也行，请跟他联系。 전화든 메일이든 그에게 연락해 주세요.

もう使わないなら、人にあげる**なり**捨てる**なりした**ほうがいいと思う。（＝人にあげるとか、捨てるとか、なんとかした）
I think it’s better to give it away or throw it out (or do whatever) if you are no longer using it.
如果不用了，我觉得最好是给人或者扔掉。 이제 사용하지 않는다면 다른사람에게 주든가 버리든가 하는 것이 좋다고 생각한다.

会社が倒産した。家のローンもあるし、朝も夜もバイトする**なり（なんなり）して**、なんとかこの危機を乗り越えなくてはいけない。（＝バイトしたりして）
My company has gone bankrupt. Since I have a mortgage, I’ll have to find a full-time job or a bunch of part-time jobs (or whatever) and work night and day.
公司倒闭了。还有房贷，不管是从早到晚打工还是通过什么方式，总之必须要越过这个危机。
회사가 도산했다. 집의 대부도 있고, 아침 저녁으로 아르바이트를 하든 무엇을 하든 해서 어떻게든 이 위기를 넘기지 않으면 안된다.

> N_1**なり**N_2**なり**
> V_1る**なり**（V_2る**なり**）する
> ◎ なん**なり**と（＝なんでも）
> 　～**なり**なん**なり**
> **れい** 電話**なり**なん**なり**
> 　人にあげる**なり**なん**なり**

できない**なら**できない**なりに**

できない**なら**できない**なりに**、無理をしないで少しずつやりましょう。（＝できないならできる範囲で）
If you can’t do it well at this pace, don’t rush and do it at your own pace.
如果做不到那就做不到，不要勉强，一点点做吧。
할 수 없으면 할 수 없는 대로 무리를 하지 말고 조금씩 합시다.

貧しい**なら**貧しい**なりの**生活をしなければならない。
（＝貧しいならできる範囲の）
If you are poor, you must live within your means.
如果贫穷就必须过与之相应的穷日子。 가난하면 가난한 대로의 생활을 하지 않으면 안된다.

結婚式に出席する**なら**、それ**なりの**服装をするべきだ。（＝それにふさわしい）
If you attend the wedding, you should dress up for the occasion.
如果参加结婚典礼，应该穿上合适的服装。결혼식에 출석한다면 그나름의 복장을 해야 한다.

あなたが会社を辞めた理由は私**なりに**理解しています。（＝私が考える範囲で）
I think I understand the reason why you quit the job.
你辞职的理由，我从自己的角度也能理解。당신이 회사를 그만둔 이유는 내 나름대로 이해하고 있습니다.

> （Vる**なら**）Vる ┐
> （Aい**なら**）Aい │ **なりに**
> （na**なら**）na　│ **なりの**N
> （N**なら**）N　 ┘
> **れい** やる**なら**やる**なりに**
> 　小さい**なら**小さい**なりに**
> 　ダメ**なら**ダメ**なりに**
> 　子ども**なら**子ども**なりに**

会う**なり**

田中さんは私に**会うなり**泣き出した。（＝会うと同時に／会ったとたんに）

Tanana-san started crying as soon as she saw me.

田中一遇上我，马上就哭起来了。　다나카 씨는 나를 만나자마자 눈물을 터트렸다.

部長は**電話を切るなり**、部屋を出て行った。（＝電話を切ると同時に／電話を切ったとたんに）

The manager left the room as soon as he hung up the phone.

部长挂断电话后，马上离开了房间。　부장님은 전화를 끊자마자 방을 나가버렸다.

Vる**なり**

練習Ⅰ　正しいほうに○をつけなさい。

① 彼ったら、家に（a. 帰った　b. 帰る）なり、パソコンの前に座るんだから……。

② 私は素人だが、この詩を自分（a. なりに　b. なりして）解釈してみた。

③ 顔色が悪いですよ。(a. 座るなり横になるなり　b. 座りつつ横になりつつ)、楽にしてください。

④ 窓を開けた（a. なり　b. とたん）、変な虫が入ってきた。

⑤ 最終電車に乗り遅れても、タクシーに（a. 乗るなり歩くなり　b. 乗らないなら乗らないなり）して必ず家に帰ってきなさい。

練習Ⅱ　下の語を並べ替えて正しい文を作りなさい。____に数字を書きなさい。

⑥ 高得点を ____ ____ ____ ____ の準備が必要だ。

1　狙う　　2　なり　　3　それ　　4　なら

⑦ ____ ____ ____ ____ ならお申し付けください。

1　なんなり　　2　雑用　　3　必要　　4　なり

（答えは p.33）

2日目　どんなに高かろうが

Q.（　　）に入るのは？
それがいくら(　　)、
気に入ったら買います。
であれ
であるが
があれば
だろう？

先生**であれ**、学生**であれ**　硬

先生**であれ**学生**であれ**、この規則には従わなければならない。
（＝先生でも学生でもだれでも）

You must follow the rules regardless of whether you are a teacher or student.
不论是老师还是学生，必须遵守这个规则。 선생님이든 학생이든 이 규칙에는 따르지 않으면 안된다.

彼がだれ**であれ**、特別扱いするのはおかしい。（＝彼がだれでも）
It is wrong to give him special treatment even if he is someone important.
不论他是谁，特殊对待太奇怪了。 그가 누구든 특별취급 하는 것은 이상하다.

【aであれbであれ】
N/naであれ
◎ だれであれ
　どこであれ
　何であれ

雨が降ろ**うが**雪が降ろ**うが**

雨が降ろ**うと**雪が降ろ**うと**明日の集まりには必ず行くよ。
（＝雨が降っても雪が降っても）

Come rain or snow (or whatever), I'll definitely come to the gathering tomorrow.
不论是下雨还是下雪，明天的聚会肯定会去。 비가 내리든 눈이 내리든 내일 모임에는 반드시 간다.

私は肉だろ**うが**魚だろ**うが**、なんでも食べます。（＝肉でも魚でも）
I'll eat meat, fish, or anything.
不管是鱼还是肉，我什么都吃。 나는 고기든 생선이든 무엇이나 먹습니다.

新品であろ**うと**、中古であろ**うと**、そんな型の古いパソコンは買うべきではないと思う。（＝新品でも中古でもどちらの場合でも）
I don't think you should buy such an old model whether it's new or secondhand.
不论是新品还是二手货，我认为不应该买这种旧型号的电脑。
신품이든 중고이든 그런 형태의 낡은 컴퓨터는 사서는 안된다고 생각한다.

明日、時間があろ**うと**なかろ**うと**、連絡だけは入れてください。（＝時間があってもなくても）
Please contact me tomorrow even if you are busy.
明天不论有没有时间，都要跟我联系一下。 내일 시간이 있든 없든 연락만큼은해 주세요.

【aうとbうと】
【aうがbうが】
Vよう
Aかろう
na/Nだろう
na/Nであろう
（以上４つ ＋ が／と）
◎ ～だろうとなかろうと

どんなに高かろうが　硬

必要(ひつよう)だから、**どんなに**高かろ**うが**それを買わなくてはいけない。（＝どんなに高くても）

I must buy it no matter how expensive it is because I need it.
因为需要，不论多么贵，都必须买这个。
필요하니까 아무리 비싸도 그것을 사야 한다.

あなたが**どんなに**謝(あやま)ろ**うとも**、今回(こんかい)は許(ゆる)さない。（＝どんなに謝っても）

I won't forgive you this time no matter how much you apologize.
不论你怎么道歉，这次决不原谅。 당신이 아무리 사과해도 이번은 용서할 수 없다.

[疑問詞(ぎもんし)]
- Vよう
- Aかろう
- na/Nだろう
- na/Nであろう

→ が / と（も）

れい
- いくら寒かろうと
- どこへ行こうと
- 何と言おうが
- どうなろうが

→ 関係(かんけい)ない / 同じだ / 自由(じゆう)だ / どうでもいい

あなたが**何歳**(なんさい)であろ**うが**関係(かんけい)ない。仕事ができればいい。（＝何歳でも）
I don't care how old you are as long as you can do the job.
不管你多少岁都没关系。只要能干工作就行。 당신이 몇 살이든 관계없다. 일을 할 수 있으면 된다.

私が**何をし**よ**うが**勝手(かって)だ。あなたに言う必要(ひつよう)はない。（＝何をしても）
It's not your business. I don't need to tell you what I am going to do.
不管我干什么都是我的自由，没必要跟你说。 내가 무엇을 하든 마음대로이다. 당신에게 말할 필요는 없다.

練習Ⅰ 正しいほうに○をつけなさい。

① 彼(かれ)は、（a. 朝だろうが夜中だろうが　b. 朝だろう夜中だろう）かまわず電話をかけてくる。

② この部屋(へや)でどんなに（a. 騒(さわ)ごうとも　b. 騒ぐであれ）、外からは何も聞こえません。

③ たとえ（a. 雨であろうと雪(ゆき)であろうと　b. 雨が降(ふ)るが雪が降るが）、明日の試合は予定(よてい)どおり行います。

④ どの大学（a. であると　b. であれ）、進学先(しんがくさき)が決(き)まってほっとした。

⑤（a. 何だろうが　b. 何をしようと）君(きみ)の自由(じゆう)だが、他人(たにん)に迷惑(めいわく)をかけることは許(ゆる)されない。

練習Ⅱ 下の語を並(なら)べ替(か)えて正しい文を作りなさい。＿＿に数字(すうじ)を書きなさい。

⑥ あの夫婦(ふうふ)が ＿＿ ＿＿ ＿＿ ＿＿ 、子どもはかわいそうだと思う。

1 知った　2 なろうが　3 どう　4 ことではないが

⑦ ＿＿ ＿＿ ＿＿ ＿＿ には変(か)わりはない。

1 なかろうと　2 人を傷(きず)つけたこと　3 故意(こい)　4 であろうと

（答えは p.35）

31 ページの答え：Ⅰ－①b ②a ③a ④b ⑤a
Ⅱ－⑥1→4→3→2 ⑦2→4→1→3

3日目　行こうか行くまいか迷(まよ)っている

Q.（　　）に入るのは？
原因(げんいん)が（　　）、この痛(いた)みを
すぐに取(と)ってもらいたい。
何かあれ
何にせよ
何もしろ
何かな？

うれしい**というか**、残念(ざんねん)**というか**

私は合格(ごうかく)したが、親友(しんゆう)は不合格(ふごうかく)だった。うれしい**というか**、残念**というか**、複雑(ふくざつ)な気持ちだ。（＝うれしいと言えるし、また残念とも言える。とにかく）

I passed the entrance exam but my best friend did not. I'm not sure if I am happy or not. I have mixed feelings. 尽管我合格了，但好朋友没有合格。不知是高兴还是遗憾，心情很复杂。
나는 합격했지만 친구는 불합격이었다. 기쁘다고 할지 유감이라고 할지, 복잡한 기분이다.

【aというかbというか】
Aい ┐
na ├ **というか**
N ┘

そんなことをするとは、無茶(むちゃ)**というか**、無知(むち)**というか**、彼(かれ)のすることは理解(りかい)できない。
（＝無茶と言えるし、無知とも言える。とにかく）

He did that? Is he confused or stupid? I don't understand what he does. 竟然干那种事请，不知该说是乱来还是无知，对他的行为无法理解。
그런 것을 하다니 터무니없다고 할지무지하다고 할지, 그가 하는 일은 이해할 수 없다.

降(ふ)ろ**うと**降る**まいと**　硬

雨が降ろ**うと**降る**まいと**試合は行われます。
（＝雨が降っても降らなくても、どの場合でも）

There will be a game regardless of the weather.
不管下不下雨，比赛都将进行。비가 오든 오지 않든 시합은 열립니다.

私がいよ**うが**いる**まいが**関係(かんけい)なく、彼(かれ)らはけんかを始めた。
（＝いてもいなくても）

In spite of me being there, they started fighting.
不管我在不在场，他们就开始吵架。내가 있든 없든 상관없이 그들은 싸움을 시작했다.

V**ようと**Vる**まいと**
V**ようが**Vる**まいが**
❗ (ru-V) Vる**まい**／V~~ます~~**まい**
(u-V) Vる**まい**
くる→**こまい**／**くるまい**
する→**しまい**／**すまい**／**するまい**

行こ**うか**行く**まいか**　硬

台風(たいふう)のような雨だ。予定通(よていどお)り美術館(びじゅつかん)に行こ**うか**、行く**まいか**。
（＝行くか、行かないか、どちらにしようか）

It's raining hard like in a typhoon. Should I go to the museum as planned or not?
像台风似的暴雨。究竟是按照原定计划去美术馆呢？还是不去呢？
태풍과 같은 비다. 예정대로 미술관에 갈까, 가지 말까.

彼(かれ)と結婚(けっこん)しよ**うか**する**まいか**悩(なや)むくらいなら、やめたほうがいい。（＝結婚するかしないかどちらにするか）

If you're having a hard time deciding to marry him, you'd better forget about it.
如果犹豫是否要和他结婚，那干脆别结了。그와 결혼을 할지 말지 고민할 정도면 그만두는 편이 낫다.

V**ようか**Vる**まいか**
❗ (ru-V) Vる**まい**／V~~ます~~**まい**
(u-V) Vる**まい**
くる→**こまい**／**くるまい**
する→**しまい**／**すまい**／**するまい**

来る**にせよ**来ない**にせよ**　硬

【aにせよ（bにせよ）】
【aにしろ（bにしろ）】
V/A/na/N普に ┐せよ
❗ na~~だ~~に／N~~だ~~に ┘しろ
OK 何にせよ／にしろ
だれにせよ／にしろ
いつにせよ／にしろ
どこにせよ／にしろ

来る**にせよ**来ない**にせよ**、必(かなら)ず連絡(れんらく)を入れてください。
（＝来る場合も来ない場合も）
Please make sure you inform us as to whether you will come or not.
不论是来还是不来，务必跟我联系。 오든 오지 않든 반드시 연락을 주세요 .

熱(ねつ)が下がった**にせよ**、しばらく安静(あんせい)が必要(ひつよう)です。（＝熱が下がった場合も）
You'll need to rest quietly in bed even though your temperature has come down.
尽管退烧了，还需要静养一段日子。 열이 내려갔다고 해도 당분간 안정이 필요합니다 .

事故(じこ)で車は前のほうがめちゃくちゃになったが、**何にしろ**、誰(だれ)もけがをしなくてよかった。（＝どういう場合でも）
The front of my car got smashed up in the accident but, in any case, I was relieved that no one was hurt.
事故中汽车前脸已被毁得一塌糊涂了，不管怎样，幸好没有人受伤。 사고로 자동차는 앞쪽이 엉망이 되었지만 , 어쨌든 아무도 다치지 않아서 다행이다 .

練習Ⅰ 正しいほうに○をつけなさい。

① あなたが反対(はんたい)（a. しようとしまいと　b. しようかするまいか）私は一人で行くつもりです。

② 大学院へ（a. 行こうと行くまいと　b. 行こうか行くまいか）悩(なや)んだ末(すえ)、いい仕事が見つかったので就職(しゅうしょく)することにした。

③ 来週の会合(かいごう)に（a. 来るにしろ来ないにしろ　b. 来るというか来ないというか）、必(かなら)ず資料(しりょう)に目を通してください。

④ 欠席(けっせき)（a. するにせよ　b. しようにしろ）連絡(れんらく)はしてください。

⑤ それは、（a. 面白(おもしろ)かろうと、珍(めずら)しかろうと　b. 面白いというか、珍しいというか）、とにかく変(か)わったものだ。

練習Ⅱ 下の語を並(なら)べ替(か)えて正しい文を作りなさい。＿＿に数字(すうじ)を書きなさい。

⑥ その新聞記者(きしゃ)は、記事(きじ)を掲載(けいさい) ＿＿＿ ＿＿＿ ＿＿＿ ＿＿＿ 、掲載をやめた。

1　しようか　　2　悩(なや)んだ　　3　あげく　　4　すまいか

⑦ もう社会人 ＿＿＿ ＿＿＿ ＿＿＿ ＿＿＿ に責任(せきにん)を持たなければいけない。

1　だから　　2　にせよ　　3　自分の行動　　4　何をする

（答えは p.37）

33ページの答え：　Ⅰ－①a　②a　③a　④b　⑤b
Ⅱ－⑥3→2→1→4　⑦3→4→1→2

第２週　私なりに努力している

4日目　デザインといい、色といい

Q.（　　）に入るのは？
社員が社員（　　）、社長も
社長だ。こんな会社には
入りたくない。
であれ
なら
だろうと
じゃないから

雑誌だのDVDだの　（一）

僕の毎月の小遣いは、**雑誌だの DVD だの**で消えていく。
（＝雑誌や DVD やいろいろなもの）

My monthly allowance disappears quickly on magazines, DVDs and so on.
我每月的零花钱都用来买杂志或 DVD 之类的东西了。
나의 매달 용돈은 잡지라든가，DVD 라든가로 사라져 간다．

彼は**部屋が狭いだの、食事がまずいだの**といつも文句を言っている。
（＝部屋が狭いとか、食事がまずいとか、ほかにもいろいろ）

He is always complaining about how small his room is, how terrible the food is, or something else.
他总爱发牢骚，什么房子太小啦，饭菜太难吃啦等等。 그는 방이 좁다느니，식사가 맛없다느니로 항상 불평을 하고 있다．

彼は、**風邪を引いただの、頭が痛いだの**と言って、よく授業を休む。
（＝風邪を引いたとか、頭が痛いとか、ほかにもいろいろ）

He often skips classes saying he has a cold, a headache and etc..
他总是以感冒啦、头疼啦为理由，经常不上课。 그는 감기에 걸렸다느니，머리가 아프다느니 하면서 자주 수업을 쉰다．

【aだのbだの】
V/A 普だの
na/naだった **だの**
N/Nだった **だの**
◆不満を言うときよく使う。

デザインといい、色といい

デザインといい、色といい、すごく気に入った靴があったんだけれど、サイズがなかった。（＝デザインも色も）

I liked the design and colour of the shoes but they didn't have ones in my size.
有一双鞋，不管是设计还是颜色都非常喜欢，但没有合适的号码。
디자인이든 색이든 무척 마음에 든 구두가 있었지만 사이즈가 없었다．

N_1**といい**N_2**といい**
◆あるものについての評価。
N_1 という点から言っても
N_2 という点から言っても。

運動といい勉強といい、僕は何をやってもダメだ。（＝運動も勉強も）

I'm not good at sports or study, or anything.
运动也好学习也罢，我干什么都不行。　운동이든 공부든，나는 무엇을 해도 못한다．

子どもが子どもなら、親も親だ　（一）

子どもが子どもなら、親も親だ。（＝子どもも親も両方よくない）

That kid is terrible and so are his parents.
孩子有问题，那父母也不怎么样。 아이도 아이라면 부모도 부모다．

N_1が／N_1も　N_1**なら**、N_2**も**N_2**だ**

あのレストランは、**味も味なら、サービスもサービスだ**。（＝味もサービスも両方よくない）

That restaurant's food is terrible, and so is its service.
那家餐馆，味道不怎么样，连服务也不好。 저 레스토랑은 맛도 맛이라면 서비스도 서비스다．

子ども**といわず**、大人**といわず**

日本人は、子ども**といわず**、大人**といわず**、マンガをよく読む。
（＝子どもも、大人も、だれでも）

Japanese kids and adults both love comics.
日本人不管是孩子还是大人，都爱读漫画。 일본인은 아이든 어른이든 만화를 자주 읽는다.

> N₁**といわず**N₂**といわず**
> ◆N₁N₂の区別(くべつ)なく。

私は、牛肉**といわず**、豚(ぶた)肉**といわず**、肉は食べません。（＝牛肉や豚肉だけでなく）

I don't eat beef, pork, or any other meat.
不论是牛肉还是猪肉，我什么肉都不吃。 나는 소고기든 돼지고기든 고기는 먹지 않습니다.

最近(さいきん)の若者(わかもの)は、食事中**といわず**、テレビを見ている間**といわず**、いつでも携帯(けいたい)電話を手にしている。（＝食事中やテレビを見ている間だけでなく）

Young people these days always keep their cell phones in their hands even when they are eating, watching TV and doing other things.
最近的年轻人，不论是吃饭的时候还是看电视的时候，总是手机不离手。
최근의 젊은이들은 식사 중이든 텔레비전을 보는 사이든 항상 휴대전화를 손에 들고 있다.

練習Ⅰ 正しいほうに○をつけなさい。

① 彼女(かのじょ)はまだ若(わか)いけれど、(a. 経験(けいけん)といい能力(のうりょく)といい　b. 経験だの能力だの）申(もう)し分(ぶん)のない女性(じょせい)だ。

② 猫(ねこ)に（a. 顔なり手なり　b. 顔といわず手といわず）引っかかれてしまった。

③ こんなつまらない商品(しょうひん)を、売るほうも売るほう（a. なら　b. だろうが）買うほうも買うほうだ。

④ 彼(かれ)は、（a. ガムだのあめだの　b. ガムなりあめなり）何かしら口に入れている。

⑤ A「あの人、田中(たなか)さんのお母さんだよね。派手(はで)だね。」
B「（a. 娘(むすめ)が娘なら母親(ははおや)も母親だね　b. 娘といい母親といい親子(おやこ)なんだね）。」

練習Ⅱ 下の語を並(なら)べ替(か)えて正しい文を作りなさい。＿＿に数字(すうじ)を書きなさい。

⑥ 姉がデザインが ＿＿ ＿＿ ＿＿ ＿＿ バッグをずっと使っている。

1　くれた　　2　色が気に入らないだの
3　古いだの　　4　といって

⑦ 彼(かれ)は学校の ＿＿ ＿＿ ＿＿ ＿＿ から女の子に全然(ぜんぜん)もてない。

1　しない　　2　成績(せいせき)といい　　3　パッと　　4　容姿(ようし)といい

（答えは p.39）

35ページの答え：	Ⅰ－①a　②b　③a　④a　⑤b
	Ⅱ－⑥1→4→2→3　⑦1→4→2→3

第2週　私なりに努力している

5日目　行きつ戻りつ

Q.（　）に入るのは？
こんなに成績が（　　）、進級も危ないだろう。

悪くては　　悪くなら　　悪いであれ　　え〜‼

こんなに雪が降っては

こんなに雪が降っては、どこにも出かけられない。
（＝こんなに雪が降っていたら）

Vては
Aくては
N/naでは

I can't go out when it snows this much.
如果下这么大的雪，哪儿都去不了。　이렇게 눈이 내려서는 어디에도 나갈 수 없다.

今日は弟の誕生日だが、肝心の本人が病気ではパーティーは延期するしかない。（＝病気なら）
Today's my younger brother's birthday, but since he is ill we have no other choice but to postpone the party.
今天是弟弟的生日，最关键的主角生病了，生日宴会只能延期。
오늘은 남동생의 생일이지만, 중요한 본인이 병이 나서는 파티는 연기할 수 밖에 없다.

鏡を見ては

彼女はニキビに悩んでいて、鏡を見てはため息をついている。
（＝鏡を見るたびに）

V₁てはV₂

◆V₁→V₂の流れが何度も繰り返されることを表す。

She is worried about her pimples and sighs every time she looks at herself in the mirror.
她苦恼于粉刺，只要照镜子就会唉声叹气。
그녀는 여드름으로 고민하여 거울을 보고는 한숨을 쉬고 있다.

子どものころ、弟とけんかしては、母にしかられたものだ。（＝けんかするたびに）
When I was a kid, I used to be scolded by my mother whenever I had a fight with my younger brother.
记着小时候如果和弟弟吵架，就会被母亲训斥。　어렸을 때 남동생과 싸워서 부모에게 꾸중을 들었다.

食べては寝て、食べては寝て

食べては寝て、食べては寝てという生活を続けていたら、この半年で10キロも太ってしまった。（＝食べてそのあと寝る。それを繰り返す）

V₁てはV₂て、(V₁てはV₂て)
V₁てはV₂ます、(V₁てはV₂ます)

I just ate and slept for half a year and gained 10 kg.
持续着吃了睡、睡了吃的生活，结果这半年胖了10公斤。
먹고는 자고, 먹고는 자고하는 생활을 계속 했더니 이 반년만에 10 킬로그램이나 살이찌고 말았다.

久しぶりに山登りをした。歩いては休み、していたので、頂上までたどりつくのにずいぶん長い時間かかった。（＝歩いてすぐ休む。それを繰り返して）
I went to climb a mountain for the first time in a long while. It took me a long time to reach the summit as I stopped and rested frequently.　好久没有登山了。走会儿歇会儿，歇会儿走会儿，所以用了好长时间才到山顶。
오랫만에 등산을 했다. 걷다가 쉬고, 걷다가 쉬고 했더니 정상까지 도착하는데 상당히 오랜 시간이 걸렸다.

行きつ戻りつ

彼は花束を持って、彼女の家の前を<u>行きつ戻りつ</u>した。
（＝行ったり戻ったり）

He walked back and forth in front of her house carrying a bouquet.
他拿着花束，在她家门前走来走去。 그는 꽃다발을 들고 그녀의 집을 갔다 왔다를 반복했다.

> V_1~~ます~~つV_2~~ます~~つ
> ◆ V_1とV_2は反対の意味。

昨日のマラソンでは、２人の選手が最後まで<u>抜きつ抜かれつ</u>トップ争いをしていた。
（＝抜いたり抜かれたり）

Two runners were competing for the first position throughout the yesterday's marathon.
在昨天的马拉松比赛中，两位选手直到最后都是你超我赶地争夺第一名。
어제 마라톤에서는 두 사람의 선수가 마지막까지 앞서거니 뒤서거니 톱의 자리를 경쟁했다.

練習Ⅰ 正しいほうに○をつけなさい。

① 今朝から雪が（a. 降るならやみ、降るならやみ　b. 降ってはやみ、降ってはやみ）を繰り返している。

② 彼と私は、学生時代、（a. 抜こうが抜かれまいが　b. 抜きつ抜かれつ）成績を争ったものだ。

③ 若いころは、お酒を（a. 飲んでは　b. 飲もうとして）踊ったものだ。

④ 学んだことを（a. 覚えるし忘れ、覚えるし忘れ　b. 覚えては忘れ、覚えては忘れ）を繰り返している。

⑤ 遅刻したと言っても、電車の事故（a. では　b. ならでは）仕方がない。

練習Ⅱ 下の語を並べ替えて正しい文を作りなさい。＿＿に数字を書きなさい。

⑥ この作文、ひどいね。間違いが ＿＿ ＿＿ ＿＿ ＿＿ 直してもよくならないよ。

1　多く　　2　少しぐらい　　3　ては　　4　こんなに

⑦ バーゲン会場は、＿＿ ＿＿ ＿＿ ＿＿ 息苦しくなるほどだった。

1　押しつ押されつ　　2　で　　3　の　　4　大混雑

（答えは p.41）

37ページの答え： Ⅰ－①a　②b　③a　④a　⑤a
Ⅱ－⑥3→2→4→1　⑦2→4→3→1

6日目　いつまで続くのやら

Q.（　　）に入るのは？
彼の話はうそ（　　）本当（　　）、よくわからない。
＊同じ言葉が入ります。
だし
だの
なのやら
じゃない

いいとも悪いとも言えない

最近のゲームは、子どもに**いいとも悪いとも言えない**。あるものは脳の発達に効果があるらしい。
（＝いい・悪いと決めることはできない）

You can't say all the recent games are bad. Some seem to stimulate brain development.
最近的游戏，无法说对孩子好还是不好。听说有些东西有利于大脑发育。
최근의 게임은 아이에게 좋다고도 나쁘다고도 말할 수 없다. 어떤 것은 뇌의 발달에 효과가 있는 것 같다.

これは**本物とも偽物とも**判断ができない。（＝本物か偽物か）
I can't tell whether it is real or fake.
无法判断这究竟是真货还是赝品。 이것은 진짜인지 가짜인지 판단할 수 없다.

【aともbとも】
Nとも
V/A/na/N㊒とも
◆判定ができない。結果が出ない。
◎うんともすんともいわない。
（＝何も言わない／何も音がしない）

なかったらなかったで

庭が**あったらあったで**、草むしりが大変だ。
（＝あるのはいいが、その場合は）
It's nice to have a garden but someone has to do the weeding.
院子是有了，但有院子后拔草也麻烦。 정원이 있으면 있는대로 풀뽑기가 힘들다.

便せんが**なかったらないで**、コピー用紙でもかまいません。
（＝あったらいいが、ない場合は）
If there's no letter writing paper available, photocopy paper will do.
信纸如果没有就算了，用复印纸也没关系。
편지지가 없으면 없는대로 복사용지라도 상관없습니다.

VたらVたで
AかったらAかったで
AかったらAいで
naならnaで
NならNで
◆否定形も使う。

喜んでいいのやら悲しんでいいのやら

喜んでいいのやら悲しんでいいのやら、最近仕事の依頼が多く、趣味の時間がまったくとれない。
（＝喜ぶべきなのか悲しむべきなのかどっちとも言えないが）
It's good to have people send me so many jobs, but on the other hand, I've got so many that I have no time for my hobbies.
不知是该高兴还是该悲伤，最近委托我的工作增多，根本没时间休闲。
기뻐해야 하는지 슬퍼해야 하는지 최근 일의 의뢰가 많아 취미시간을 전혀 가질수 없다.

【aのやらbのやら】
V/A ㊒のやら
naなのやら
◆aとbは反対の意味。主観的で会話的な文に使う。
れい　いいのやら悪いのやら
あるのやらないのやら
うそなのやら本当なのやら

いつまで続くのやら・・・

この不景気は**いつまで続くのやら**。（＝いつまで続くのかわからない）
I wonder how long this economic slump will continue.
这种不景气要持续到什么时候呢。 이 불경기는 언제까지 이어는지 .

言葉も話せないのに、来年１年間オーストラリアに行くことにした。**どうなることやら**。（＝どうなるだろう）
I've decided to go to Australia next year for a year even though I don't speak the language, but I don't know what to expect.
语言都不通，还决定明年一年呆在澳大利亚。会怎么样呢？
말도 못하는데 내년 1 년간 호주에 가기로 했다 . 어떻게 될른지…

奥さんを病気で亡くした彼に、**どう**声をかけたらいい**ものやら**。（＝どう声をかけたらいいのかわからない）
I don't know what to say to him. He lost his wife to an illness.
他妻子因病去世了，对他该说些什么好呢。 부인을 병으로 잃은 그에게 어떻게 말을 걸어야 할지…

[疑問詞] ＋ V/A普 ／ Aい ／ naな ＋ **のやら** ／ **ものやら** ／ **ことやら**

れい 何をしたらいい**のやら**
どうすればいい**のやら**
いつ帰れる**ことやら**
いつになる**ことやら**

練習Ⅰ 正しいほうに○をつけなさい。

① 仕事がないので毎日友達と遊んでいる。（a. 暇なのやら忙しいのやら　b. 暇とも忙しいとも）。

② ペットは（a. いるともいないとも言えなくて　b. いたらいたで）大変だけれど、ペットのいない生活は考えられない。

③ 会社が倒産しそうだ。（a. 何する　b. どうなる）ことやら……。

④ 彼は（a. おとなしいとも消極的だとも　b. おとなしいのやら消極的なのやらと）言えるが、とにかく口数が少ない。

⑤（a. いやならいやで　b. いやともいやじゃないとも）、はっきり言ってください。

練習Ⅱ 下の語を並べ替えて正しい文を作りなさい。＿＿に数字を書きなさい。

⑥「ピザ屋のチラシ、どこにある？ ＿＿ ＿＿ ＿＿ ＿＿ 。」

1　捨てた　　2　でいいの　　3　だけど　　4　捨てたら

⑦ この仕事は、いつ ＿＿ ＿＿ ＿＿ ＿＿ もつかない。

1　終わる　　2　になったら　　3　見当　　4　ことやら

（答えは p.44）

39 ページの答え：　Ⅰ－①b　②b　③a　④b　⑤a
Ⅱ－⑥4→1→3→2　⑦1→3→4→2

７日目　実戦問題

制限時間：15分
1問4点×25問

点数
／100

答えは別冊 p.2～3

問題１　次の文の（　　）に入れるのに最もよいものを、1・2・3・4から一つ選びなさい。

1　飲食店は、（　　　）の良さがあると思う。

1　小さいだの大きいだの
2　小さいのやら大きいのやら
3　小さいなら何なり
4　小さいなら小さいなり

2　その映画は、警官と犯人が（　　　）の展開ではらはらするものだった。

1　逃げつ逃れつ
2　追いつ追われつ
3　抜きつ抜かれつ
4　従いつ従われつ

3　（　　　）、顧客にこの件を説明すべきだった。

1　社長だの社員だの
2　社長となり社員となり
3　社長とも社員とも
4　社長であれ社員であれ

4　この旅館は、窓からの眺め（　　　）料理（　　　）、申し分がない。

1　なり／なり
2　だの／だの
3　といい／といい
4　のやら／のやら

5　隣の公園で遊ぶ子どもの声がうるさくて仕方がないが、どこに苦情を（　　　）わからない。

1　言おうものなら
2　言っていいものやら
3　言うにしろ
4　言うまいと

6　両親が（　　　）高校をやめて働くつもりだ。

1　何と言おうが
2　何を言うつもりが
3　何を言おうとしても
4　何と言うまいか

7　彼が金持ち（　　　）私には関係ありません。

1　だろうがないだろうが
2　であるとじゃないと
3　だろうとないだろうと
4　であろうとなかろうと

8　ここは不便でどの駅に（　　　）、徒歩で20分以上かかる。

1　行くにせよ
2　行くのやら
3　行っては
4　行くまいと

9　レポートを（　　　）しているので、1時間たってもまだ1枚もできない。

1　書くなり消し書くなり消し
2　書いたが消し書いたが消し
3　書くなら消し書くなら消し
4　書いては消し書いては消し

10　この魚は生では食べられないから、煮る（　　　）焼く（　　　）してください。

1　なり
2　といい
3　だろうと
4　とも

11 彼女は立派な家に住んでいるのに、掃除が大変（　　）キッチンが使いにくい（　　）と文句ばかり言っている。

1　だろう／だろう　　2　なり／なり
3　だの／だの　　4　なのやら／なのやら

12 息子の部屋は、壁（　　）天井（　　）、サッカーのポスターだらけである。

1　といおうか／といおうか　　2　ともいおうか／ともいおうか
3　といわず／といわず　　4　ともいわず／ともいわず

13 家の壁紙を張り替えようと思う。自分でやる（　　）人に頼む（　　）、大変だ。

1　というか／というか　　2　といわず／といわず
3　にせよ／にせよ　　4　まいと／まいと

14 自分の子どもが問題を起こして学校に呼び出されているのに、それを無視する親がいる。（　　）。

1　子どもといわず親といわずだ　　2　子どもが子どもなら親も親だ
3　子どもといい親といいだ　　4　子どもだろうか親だろうか

15 客が来ようが来まいが、（　　）。

1　料理を作るとも言えない　　2　料理を作ってもむだになるだろう
3　店を開けなければならない　　4　店を開けようかと悩む

問題2　次の文の ★ に入る最もよいものを、1・2・3・4から一つ選びなさい。

16 練習が ＿＿ ＿＿ ★ ＿＿ 続けることが大切だ。

1　どんなに　　2　とも　　3　欠かさず　　4　つらかろう

17 ＿＿ ＿＿ ★ ＿＿ から見れば幸せなことだと思う。

1　留学しようか　　2　働かなければならない者
3　迷うこと自体　　4　すまいか

18 家が広かったら ＿＿ ＿＿ ★ ＿＿ と維持費がかかって大変だ。

1　何だの　　2　広かった　　3　電気代だの　　4　で

19 授業をサボっ ＿＿ ＿＿ ★ ＿＿ ことが懐かしく思われる。

1　たりした　　2　ては　　3　先生にしかられ　　4　あの頃の

20 彼は ＿＿ ＿＿ ★ ＿＿ 返事がうまい。

1　とれる　　2　肯定とも否定とも　　3　に対する　　4　質問

問題3　次の文章を読んで、[21]から[25]の中に入る最もよいものを、1・2・3・4から一つ選びなさい。

先日、同僚のお母さんが亡くなった。葬式に[21]迷ったが、部長が部を代表して出席するというので私は遠慮した。電話[22-a]メール[22-b]して、彼を励まそうかとも思ったが、今はどんな言葉も彼を元気づけることはできないだろうと思い、結局何もしなかった。しばらくぶりに彼が出社してきたときも、痛々しい姿をまともに見ることさえできなかった。彼も何も言わずに自分の机に向かったが、席に[23]「田中さんって、優しいですね。」とポツリと一言。振り返ってみると、彼の手には1本の栄養ドリンク。田中先輩がそっと差し入れてくれたものらしい。

彼の気持ちを考えるとかわいそう[24-a]悲しい[24-b]、なんとも言えない気持ちでいっぱいになってしまい、結局何もできなかった私は、このことにハッとさせられた。この数日、彼のいない机を見ては心を痛めているだけの自分だったが、[25]、まず自分の気持ちを伝えるべきだったのではないかと、気付かされた出来事だった。

[21]
1　出席しようかするまいか　　2　出席しようがしまいが
3　出席しようとなかろうと　　4　出席しようともなかろうとも

[22]
1　a するなり／b するなり　　2　a するであれ／b するであれ
3　a しようというか／b しようというか　　4　a であろうと／b であろうと

[23]
1　着くなり　　2　着いてなり　　3　着いたなり　　4　着いたなりに

[24]
1　a だといい／b といい　　2　a だろうか／b だろうか
3　a といわず／b といわず　　4　a というか／b というか

[25]
1　何があれ　　2　何ともあれ　　3　何であれ　　4　何とあれ

敬語（けいご）② 弊（へい）・拙（せつ）・愚（ぐ）　―謙譲語（けんじょうご）―

弊

弊社（へいしゃ）：弊社の社員は現在15人です。（＝我が社／当社／私の会社）

弊店（へいてん）：弊店は日祝日が休業日となっております。（＝当店／私の店）

＊「小社」「小店」とも言う。

＊**弊校**（＝当校／我が校）　**弊誌**（＝当誌／私たちの雑誌）　**弊紙**（＝当紙／私たちの新聞）

拙

拙著（せっちょ）：おかげさまで拙著の増刷が決まりました。（＝私の著書）

＊**拙宅**（＝私の家）

これらは、自分に関する語について、謙譲の意味を表します。

愚

愚妻（ぐさい）：愚妻が申しますには……。（＝私の妻）

愚見（ぐけん）：愚見を申しますと……。（＝私の考え）　＊**愚息**（＝私の息子）

41ページの答え：Ⅰ－①a　②b　③b　④a　⑤a
Ⅱ－⑥4→1→2→3　⑦2→1→4→3

第3週

言うまでもなく、努力している

今週の表現

一日目
- □聞いてみた**までだ**
- □毎日はし**ないまでも**
- □言う**までもない**

二日目
- □残念な**限りだ**
- □今日**を限りに**
- □寝る**に限る**
- □我が国**に限ったことではない**

三日目
- □こんなに高い**とは**驚きだ
- □教師**とはいえ**
- □兄弟**といえども**
- □遅れる**との**連絡があった

四日目
- □東京**を皮切りに**
- □努力**をもって**
- □この１ヵ月**というもの**

五日目
- □部屋に入る**や否や**
- □ベルが鳴る**が早いか**
- □ゲームを始め**たが最後**
- □休める**かと思いきや**

六日目
- □覚える**そばから**
- □農業**のかたわら**
- □散歩**がてら**
- □ご挨拶**かたがた**

第３週　言うまでもなく、努力している

1日目　毎日はしないまでも

Q.（　　）に入るのは？
敬語が難しいのは、
言う（　　）。
までではない
までだ
までもない
しかたない

聞いてみたまでだ

ちょっと聞いてみた**までです**。（＝聞いてみただけだ。ほかの意味はない）

I just wanted to ask.

只是稍微问一下。조금 물어 봤을 뿐입니다.

妻が反対だと言えば、あきらめる**までだ**。（＝あきらめるしかない）

I'll have to give it up if my wife says no.

如果妻子说反对，就只能放弃。아내가 반대라고 하면 포기하면 그뿐이다.

給料が上がらないなら、会社をやめる**までだ**。（＝やめるしかない）

I'll have to quit this job if I don't get a salary raise.

如果工资不涨，就只能辞职。급료가 오르지 않으면 회사를 그만두면 그뿐이다.

いくら高いコンピューターを買っても、使わなければ**それまでだ**。（＝それだけで、何の役にも立たない）

It's a waste to buy an expensive computer if you don't use it.

不论买多么贵的电脑，如果不用那也白搭。 아무리 비싼 컴퓨터를 사도, 사용하지 않으면 그것으로 끝이다.

Vる／Vた ］まで（のこと）だ
それ／これ ］までだ

毎日はしないまでも

❶ 毎日はし**ないまでも**、週に１回くらいは部屋の掃除をしよう。
（＝毎日じゃなくても、少なくとも）

I won't clean my room every day but I will at least once a week.

就算不每天打扫，咱们一周至少打扫一次房间吧。 매일은 하지 않더라도 일주일에 한 번 정도는 방청소를 하자.

手紙を書か**ないまでも**電話ぐらいしろ。（＝手紙を書かなくても）

If you can't be bothered to write to me, at least call.

就算不写信，至少要打电话。 편지를 쓰지 않더라도 전화 정도는 해라.

❶Vないまでも

❷ 母は体を壊し**てまでも**、朝から晩まで働き続けた。
（＝体を壊す状態になるまで）

My mother worked day and night and sacrificed her health.

妈妈从早到晚不停地工作，甚至累垮了身体。 엄마는 몸을 망가트려 가면서도 아침부터 밤까지 계속해서 일했다.

そのジャーナリストは危険を冒し**てまでも**戦場に行こうとしている。（＝危険を冒して、それでも）

Despite it being risky, the journalist is going to the war zone.

那位记者甚至要冒着危险去战场。그 저널리스트는 위험을 무릅쓰고까지도 전쟁터에 가려고 하고 있다.

❷Vてまでも

言うまでもない

Vるまでもない

日本が狭いということは、**言うまでもない**。
(＝言わなくてもみんなが知っている)

It goes without saying that Japan is a small country.
不言而喻，日本国土狭小。 일본이 좁다는 것은 말할 것까지도 없다.

その件については、社長に許可を取る**までもない**。(＝許可を取る必要はない)
You don’t have to get the president’s approval on this matter.
关于那件事，不必得到社长的许可。 이 건에 대해서는 사장의 허가를 얻을 것 까지도 없다.

アルコール検査をする**までもなく**、彼が酔っ払っていることは明白だ。(＝検査をする必要がないほど)
He is definitely drunk. I don’t think we even need to give him a Breathalyzer.
不用进行酒精检测，很明显他喝醉了。 알콜검사를 할 것까지 없고，그가 취해 있는 것은 명백하다.

練習Ⅰ 正しいほうに○をつけなさい。

① 来たくなければ来なくてもいい。ただ君が損を（a. する　b. しない）までだ。

② 親が出る（a. までもなく　b. までも）、子どもたちだけでその問題を解決した。

③ あの人とは話はしない（a. までもなく　b. までも）、挨拶ぐらいはしますよ。

④ いくらお金を稼いでも死んでしまえば（a. それまでだ　b. それまでもない）。

⑤ これくらいの故障、修理を頼む（a. までのことだ　b. までもない）。僕が直してあげるよ。

練習Ⅱ 下の語を並べ替えて正しい文を作りなさい。____に数字を書きなさい。

⑥ 上手になりたければ、______ ______ ______ ______ のことだ。

1 練習　　2 ひたすら　　3 まで　　4 する

⑦ 彼の行為は、______ ______ ______ ______ と言えるだろう。

1 犯罪　　2 まで　　3 法律を持ち出す　　4 もなく

(答えは p.49)

2日目　今日を限りに

Q.（　　）に入るのは？
わからないときは、
先生に(　　)。
聞くに限らない
聞くに限る
聞く限りだ
聞きたくない！

残念な限りだ

いとこの結婚式に出られないとは、**残念な限りだ**。（＝とても残念だ）
It's a shame I can't attend my cousin's wedding.
竟然无法参加表弟的结婚典礼，遗憾之至。사촌의 결혼식에 나갈 수 없다니，안타깝기 그지없다.

年を取って、お金もなく、家族もいないのは、**心細い限りです**。
（＝とても心細い）
I feel helpless being old, and not having money or a family.
上年纪了，又没有钱，又没有家人，心中充满了不安。
나이 들어，돈도 없고 가족도 없는 것은 불안하기 그지없습니다.

> Aい**限りだ**
> naな**限りだ**
> **れい** うらやましい**限り**
> うれしい**限り**
> 寂しい**限り**
> 心強い**限り**
> 頼もしい**限り**

今日を限りに

今日を限りに甘いものをやめることにした。（＝今日を最後にして）
I've decided to quit eating sweets from today.
以今天为界，我打算不再吃甜食。오늘을 기한으로 단것을 끊기로 했다.

３月限りでこのクラスはなくなります。（＝３月末までで）
This course will not be offered from April onwards.
到３月为止，这个班就没了。３월을 기한으로 이 클래스는 없어집니다.

彼は○**声を限りに**助けを求めた。（＝できるだけ大きな声で） **ダメ** 声限り
He screamed at the top of his lung for help.
他声嘶力竭地求救。그는 목청껏 도움을 구했다.

> N**を限りに**
> N**限りで**
> ◆ Nは主に時を表す語。
> **れい** 本日**を限りに**
> 今回**を限りに**

寝るに限る

風邪を引いたときは、暖かくして**寝るに限る**。（＝寝るのが一番だ）
It is best to keep warm and rest when you catch a cold.
感冒的时候，最好是热乎乎地睡觉。감기에 걸렸을 때는 따뜻하게 하고 자는 것이 최고다.

日本語学校を選ぶなら、**この学校に限る**。（＝この学校が一番だ）
When it comes to a Japanese language school, this one is the best.
如果要选择日语学校，这个学校最好。일본어 학교를 고른다면，이 학교가 최고다.

> Vる/Vない**に限る**
> N**に限る**
> **れい** ～を買うなら安いの**に限る**

我が国に限ったことではない　硬

Nに限ったことで（は/も）ない
◆「Nに限らない」の硬い表現

若者の言葉遣いが悪いのは、**我が国に限ったことではない**。
（＝我が国だけではない）

It is not only in this country that young people do not know how to properly use the language.
年轻人说话粗鲁，并不只限于我们国家。 젊은이들의 말씨가 나쁜 것은 우리나라에 한한 것은 아니다.

夏にインフルエンザがはやったのは、**今年に限ったことではなく**、去年も同様だった。
（＝今年だけのことではなく）

A flu broke out not only this summer but last summer as well.
夏天爆发流感并不只是今年的事，去年也一样。 여름에 인플루엔자가 유행한 것은 올해에한정된 것은 아니고, 작년도 마찬가지였다.

練習Ⅰ 正しいほうに○をつけなさい。

① 応援していたチームが試合に負けてしまって残念（a. な限りだ　b. に限る）。

② 新築の家を買った。今月（a. を限りに　b. に限り）このマンションともお別れだ。

③ 風邪をひいたときは、薬など飲むよりゆっくり寝る（a. に限る　b. 限りだ）。

④ 朝の電車が混んでいるのは、今日に（a. 限る　b. 限った）ことではない。

⑤ 宝くじに当たったなんて、なんともうらやましい（a. 限ったことではない　b. 限りだ）。

練習Ⅱ 下の語を並べ替えて正しい文を作りなさい。____に数字を書きなさい。

⑥ そのドラマは、視聴率が ____ ____ ____ ____ 打ち切られることになった。

1 を限り　　2 に　　3 伸びず　　4 10回目

⑦ 漢字が書けなくなったのは、____ ____ ____ ____ なってからずっとだ。

1 コンピューターを使うように　　2 最近
3 ではなく　　4 に限ったこと

（答えは p.51）

47ページの答え：Ⅰ－①a　②a　③b　④a　⑤b
Ⅱ－⑥2→1→4→3　⑦3→2→4→1

３日目　兄弟といえども

Q.（　　）に入るのは？
こんなに難しい（　　）
思いませんでした。
とは
のは
とを
かな

こんなに高い**とは**驚きだ

東京は家賃が高いと聞いていたが、こんなに高い**とは**驚きだ。
（＝こんなに高いなんて）

I heard that the rent in Tokyo was high but I never imagined that it would be this high.
早就听说东京房租贵，没想到竟然这么贵，太吃惊了。
도쿄는 집세가 비싸다고 들었지만, 이렇게 비싸다니 놀랍다.

才能のある彼が亡くなる**とは**、残念でならない。（＝亡くなるなんて）
It is so sad that such a talented person like him has died.
没想到那么有才的他去世了，真是无比遗憾。 재능이 있는 그가 죽다니, 안타깝기 그지없다.

> V/A/na/N㊟**とは**
> N/na**とは**
> ◆強調／驚き
> れい　こんなに暇(だ)**とは**
> そのような人(だ)**とは**
> あんな場所だった**とは**

教師**とはいえ**

教師**とはいえ**、答えられないこともあります。（＝教師なのだが、それでも）
There are questions even teachers cannot answer.
虽说是老师，也有回答不上来的时候。 교사라고는 해도 대답할 수 없는 것도 있습니다.

> V/A/na/N㊟**とはいえ**
> N/na**とはいえ**

不景気で客が少ない**とはいえ**、一人も来ないことは今までになかったことだ。
（＝客は少ないが、それでも）

Although we have fewer customers due to the poor economy, this is the first time our store has had no customers.
虽说因不景气客人少，但一个人也没有的情况是前所未有的。
불경기라서 손님이 적다고는 해도, 한 사람도 오지 않는 것은 지금까지 없었던 일이다.

兄弟**といえども**　硬

たとえ兄弟**といえども**、憎しみ合うこともある。（＝兄弟でも）
Even siblings sometimes hate each other.
就算是兄弟，也有互相憎恨的时候。설사 형제라고 해도 서로 증오하는 경우도 있다.

広い土地がある**といえども**、田舎なので不動産の価値はない。（＝あるが）
I have a big chunk of land but it doesn't have much value because it's in the countryside.
虽说有大块土地，但因为是乡下，没有房地产价值。 넓은 토지가 있다고는 해도, 시골이어서 부동산의 가치는 없다.

> VA/na/N㊟**といえども**
> N/na**といえども**
> れい　たとえ〜**といえども**
> いくら〜**といえども**

◎ 当たらず**といえども**遠からず。（＝ぴったり当たっていると言えないが、ほとんど間違ってない）
That's pretty close.
虽不中，不远矣。 적중하지는 않더라도 크게 빗나가지는 않는다.

遅れる**との**連絡があった　硬

田中さんから10分ほど遅れる**との**連絡がありました。
(＝10分ぐらい遅れるという)

Tanaka-san left a message that he would be 10 minutes late.
接到了田中的联系，说是要晚到10分钟左右。 다나카 씨로부터 10 분정도 늦는다는 연락이 있었습니다.

社長の話によると、来月から給料を1割カットする**とのことだ**。
(＝1割カットするそうだ)

According to what the president said, our salaries will be reduced by 10% from next month.
据社长说，从下个月开始工资要减去1成。 사장님의 말에 의하면 다음 달부터 급료를 1 할 내린다고 한다.

> [文]**とのN**
> [文]**とのことだ。**
>
> ◆伝聞
> ◆ N＝話、依頼、提案など

第三週

練習Ⅰ 正しいほうに○をつけなさい。

① 近所の人の話では、昨夜あの家でだれかが亡くなった（a. とのことだ　b. というらしい）。

② 入社したばかり（a. とは　b. とはいえ）、もう少しまともな挨拶ができないのだろうか。

③ 親（a. といえども　b. に限り）、子どもをしかるのに暴力はいけない。

④ 鈴木さんから、今日は風邪で休む（a. との　b とはいう）電話がありました。

⑤ あんなに女らしく美しく見える人が、実は男だった（a. とは　b. とはいえ）……。

練習Ⅱ 下の語を並べ替えて正しい文を作りなさい。＿＿に数字を書きなさい。

⑥ ＿＿＿ ＿＿＿ ＿＿＿ ＿＿＿ をしてしまい、大変申し訳ありませんでした。

1　知らなかったこと　2　失礼なこと　3　いえ　4　とは

⑦ 生活 ＿＿＿ ＿＿＿ ＿＿＿ ＿＿＿ に働かなくてはならない。

1　といえども　2　のため　3　休まず　4　休日

(答えはp.53)

49ページの答え：　Ⅰ－①a　②a　③a　④b　⑤b
Ⅱ－⑥3→4→1→2　⑦2→4→3→1

4日目　努力をもって

Q.（　　）に入るのは？
日本に来てから（　　）
毎日、日本食を食べている。
というもの
といえども
ということ
ときどき

東京を皮切りに

今度の演奏会は、**東京を皮切りに**、全国10ヵ所で行われる。
（＝東京を最初の場所として）
This round of concerts will take place in ten different locations, starting in Tokyo.
这次的演奏会，以东京为开端，要在全国10个地方举行。이번 연주회는 도쿄를 시작으로 하여, 전국 10 개소에서 행해진다.

> Nを皮切りに(して)
> Nを皮切りとして

彼の店は大阪で**成功したのを皮切りに**、各地に次々と出店していずれも成功を収めた。
（＝成功したのがきっかけとなって）
His store first succeeded in Osaka and later in other parts of the country.
他的店在大阪大获成功，以此为开端在各地接连开了多家店，都取得了成功。
그의 가게는 오사카에서 성공한 것을 시작으로 각지에서 잇달아 열어 전부 성공을 거두었다.

努力をもって　硬

❶ **熱意と努力をもって**、仕事をしてください。（＝熱意と努力で）
You are expected to work hard and enthusiastically.
请带着热情和努力工作。열의와 노력으로 일해 주세요.

> ❶ Nをもって
> ◆N＝手段／方法

彼の実力をもってすれば、成功するだろう。（＝彼の実力でやってみれば）
He is sure to succeed because he is very capable.
如果以他的实力，应该会成功吧。그의 실력이라면 성공할 것이다.

地震の恐ろしさを**身をもって**経験した。（＝自分自身で／実際に自分が）
I experienced the fear of being in an earthquake firsthand.
亲身体验了地震的恐怖。지진의 두려움을 몸소 경험했다.

「**これをもって**、始まりのあいさつとさせていただきます。」（＝これで）
This brings my opening speech to an end. Thank you.
请允许我以此作为开始的致词。이것으로 시작 인사를 대신하겠습니다.

❷ **本日をもって**、セールは終了となります。（＝本日で）
The sale will finish today.
促销活动到今天为止。오늘로 세일은 종료 되겠습니다.

> ❷ N〈期限〉をもって
> （＝Nを限りに／N限りで☞p.48）
> れい ○月○日をもって

10月31日をもちまして、退職いたしました。（＝10月31日で）
I resigned as of October 31.
到10月31日，我就退休了。10 월 31 일로 퇴직 하겠습니다.

この1ヵ月というもの

<u>この1ヵ月**というもの**</u>、シャワーを浴(あ)びるだけでお風呂(ふろ)に入っていない。（＝1ヵ月の間ずっと）

For the last month, I have only had showers, and no baths.
在这一个月里，我光冲淋浴，从未泡过澡。이 1 개월 동안 , 샤워만 하고 목욕은 하지 않았다 .

<u>結婚(けっこん)し**てからというもの**</u>、映画館で映画を見ていない。
（＝結婚してからずっと）

I haven't gone to a movie theater since I got married.
自从结婚以后，再也没在电影院看过电影。결혼하고 나서 영화관에서 영화를 보지 않았다 .

（この/ここ）N**というもの**
V**てからというもの**
◆N＝期間(きかん)
れい ここ3日間**というもの**
ここしばらく**というもの**

練習Ⅰ 正しいほうに○をつけなさい。

① あの先生は僕(ぼく)が何を尋(たず)ねても、いつも誠意(せいい)（a. をもって　b. をもちまして）答えてくれる。

② 私の父は定年退職(ていねんたいしょく)（a. を皮切(かわき)りに　b. してからというもの）、一日中テレビばかり見ている。

③ 当選者(とうせん)の発表(はっぴょう)は、商品(しょうひん)の発送(はっそう)（a. をもって　b. を皮切りに）代(か)えさせていただきます。

④ 一人暮(ぐ)らしを始(はじ)めてから（a. というもの　b. といえども）、まともな食事をしたことがない。

⑤ 昨日(きのう)の会議(かいぎ)では、彼(かれ)の発言(はつげん)（a. を皮切(かわき)りに　b. というもの）反対意見が次々(つぎつぎ)と出た。

練習Ⅱ 下の語を並(なら)べ替(か)えて正しい文を作りなさい。＿＿に数字(すうじ)を書きなさい。

⑥ あの歌手は ＿＿＿ ＿＿＿ ＿＿＿ ＿＿＿ いるようだ。

1　人気(にんき)が出て　　2　大きくなって　　3　からというもの　　4　態度(たいど)が

⑦ ＿＿＿ ＿＿＿ ＿＿＿ ＿＿＿ も難(むずか)しくないだろう。

1　その開発(かいはつ)　　2　最新技術(さいしんぎじゅつ)　　3　をもって　　4　すれば

（答えは p.55）

51ページの答え：	Ⅰ－①a　②b　③a　④a　⑤a
	Ⅱ－⑥1→4→3→2　⑦2→4→1→3

5日目　休めるかと思いきや

Q.（　　）に入るのは？
彼はゲームセンターに入った
（　　）、なかなか出てこない。
が最後で
が最後に
が最後
とたんに

部屋に入るや否や　硬

Vるや(否や)

その男の人は部屋に入るや否や、いきなり大声で怒鳴り始めた。
（＝入るのとほとんど同時に／入ったとたんに）

The man started yelling right after he entered the room.
那个男人一进房间，突然开始大声怒喝。그 남자는 방에 들어가자마자 갑자기 큰 소리로 고함치기 시작했다.

彼は、それを口に入れるや、吐き出した。（＝入れるのとほとんど同時に／入れたとたんに）
He spat it out as soon as he put it in his mouth.
他把那个刚放进嘴里，马上吐了出来。그는 그것을 입에 넣자마자 토하기 시작했다.

その政治家は、形勢が不利と見るや、態度を一変した。
（＝不利だとわかってすぐ／不利だとわかったとたんに）

The politician changed his attitude as soon as he sensed that he was in the minority.
那个政治家一看形势不利，态度大变。그 정치가는 형세가 불리하다고 보이자 태도가 일변했다.

ベルが鳴るが早いか

Vるが早いか

その学生は、授業の終わりのベルが鳴るが早いか、教室を出て行った。
（＝ベルが鳴るのとほとんど同時に／鳴ったとたんに）

The student left the classroom as soon as the bell rang at the end of the class.
下课铃声刚响，那个学生就出了教室。그 학생은 수업이 끝나는 벨이 울리자마자 교실을 나가 버렸다.

そのタクシーは、信号の色が変わるが早いか、車を発進させた。
（＝変わるのとほとんど同時に／変わったとたんに）

The taxi took off as soon as the traffic light changed.
信号灯的颜色刚变，那辆出租车就启动开走了。그 택시는 신호의 색이 바뀌자마자 차를 발진시켰다.

ゲームを始めたが最後

Vたが最後
Vたら最後

彼はパソコンでゲームを始めたが最後、いつも朝までやり続ける。
（＝一度始めたらそのあとずっと）

Once he starts playing a computer game, he plays all night.
他如果开始玩电脑游戏就总是一直玩到早晨。그는 컴퓨터로 게임을 시작하기만 하면 쭉, 항상 아침까지 계속했다.

父は、いったん寝たら最後、朝まで起きない。（＝寝たらそのあとずっと）
Once in bed, my father never wakes up until morning.
父亲一旦睡下，直到早晨都不会醒。아버지는 일단 자면 쭉, 아침까지 일어나지 않는다.

休めるかと思いきや

やっとテストが終わって**休めると思いきや**、宿題をたくさん出された。（＝休める思ったが、意外にもすぐに）

V/N/［文］普(か)と思いきや硬

I thought I could have a break when the test period was over, but I've got tons of homework.
本以为考试好不容易结束可以休息了，没想到又有好多作业。 겨우 테스트가 끝나 쉴 수 있다고 생각했는데, 숙제를 많이 냈다.

宝くじに**当たったかと思いきや**、番号を見間違えていた。
（＝一瞬当たったと思ったが）

I thought I won the lottery, but I got the number wrong.
本以为中彩票了，没想到把号码看错了。 복권에 당첨되었다고 생각했는데, 번호를 틀렸다.

練習Ⅰ 正しいほうに○をつけなさい。

① あの人はいつも電車に乗り込む（a. が最後　b. が早いか）、席を確保しようとする。

② 彼女は家に（a. 入る　b. 入った）や、いきなりトイレに駆け込んだ。

③ やっと富士山の頂上に着いた（a. と思いきや　b. が早いか）、まだ８合目だった。

④ 119番の通報を受ける（a. が最後　b. が早いか）、救急車は出動した。

⑤ 彼は普段はとてもおとなしいが、ひとたび（a. 怒ったら最後　b. 怒るが早いか）暴れて手がつけられなくなる。

練習Ⅱ 下の語を並べ替えて正しい文を作りなさい。＿＿に数字を書きなさい。

⑥ 年賀状の最後の１枚を ＿＿ ＿＿ ＿＿ ＿＿ 、20枚も残っていた。

1　かと　　2　書き終わった　　3　まだ　　4　思いきや

⑦ 彼のブログは、＿＿ ＿＿ ＿＿ ＿＿ が相次ぐ。

1　更新　　2　反響　　3　する　　4　や

（答えは p.57）

53ページの答え： Ⅰ－①a　②b　③a　④a　⑤a
Ⅱ－⑥1→3→4→2　⑦2→3→4→1

第3週　言うまでもなく、努力している

6日目　散歩（さんぽ）がてら

Q.（　　）に入るのは？
名前を聞いた（　　）
忘（わす）れてしまう。
かたわら
そばから
がてら
ても

覚（おぼ）える**そばから**

祖母（そぼ）は、携帯（けいたい）電話の使い方を教えても、<u>教える**そばから**</u>忘（わす）れてしまう。（＝教（おし）えてもすぐに）

My grandmother forgets how to use a cell phone as soon as I teach her.
就算教祖母怎么用手机，刚教完她就忘了。
할머니는 휴대전화의 사용법을 가르쳐 주어도 가르치는 즉시 잊어 버린다.

小さい子どもは、<u>片付（かたづ）けている**そばから**</u>部屋（へや）を散（ち）らかす。（＝片付けてもそのあとすぐに）

Young kids mess up the room as soon as you tidy it.
刚把房子收拾好，小孩子又给弄乱了。 작은 아이는 정리하는 즉시 방을 어지른다.

> Vる**そばから**
> Vた**そばから**
> Vている**そばから**
> ◆動作（どうさ）の繰（く）り返（かえ）しを表（あらわ）すことが多い。

農業（のうぎょう）の**かたわら**　硬

父は<u>農業**のかたわら**</u>、小さい店を経営（けいえい）している。（＝農業をしながら）
My father is a farmer and at the same time runs a small shop.
父亲一边干农活，一边经营小店。 아버지는 농업을 하는 한편, 작은 가게를 경영하고 있다.

彼女（かのじょ）は女優（じょゆう）の<u>仕事をする**かたわら**</u>、家事（かじ）もきちんとやっている。（＝仕事をしながら）

She is an actress but she's also a good homemaker.
她从事演员工作的同时，家务活也料理得很好。
그녀는 여배우의 일을 하는 한편, 가사도 제대로 하고 있다.

> 【a**かたわら**b】a＝主（おも）になること
> Nの**かたわら**
> Vる**かたわら**
> ◆ 同時（どうじ）に行うことには使えない。
> ダメ　テレビを見るかたわら勉強する
> →テレビを見ながら

散歩（さんぽ）**がてら**

<u>散歩**がてら**</u>、本屋に行ってくるよ。（＝散歩のついでに／散歩を兼（か）ねて）
I'm going for a walk and will drop by a bookstore.
散步时顺便去趟书店。산책하는 겸, 책방에 갔다 올께.

桜（さくら）を<u>見**がてら**</u>隣（となり）の駅まで歩いた。（＝見ながら／見るのを兼ねて）
I walked to the next station while enjoying the cherry blossoms.
一边看樱花，顺便走到了旁边的车站。 벚꽃을 볼겸, 옆에 있는 역까지 걸었다.

<u>遊（あそ）び**がてら**</u>お立ち寄（よ）りください。（＝遊ぶのを兼ねて）
Please drop by at your leisure.　游玩时顺便来家里坐坐。 놀러 오는 겸, 들러 주세요.

> N~~する~~**がてら**
> V~~ます~~**がてら**
> ◆スル動詞（どうし）は名詞（めいし）として使われることが多い。

ご挨拶かたがた　硬

ご挨拶かたがた、一言お礼を述べさせていただきます。
（＝挨拶をするついでに／挨拶を兼ねて）
I would like to say a word to convey my appreciation.
过来打声招呼，同时请允许我表达谢意。인사를 할 겸，한마디 감사의 말씀을 드리겠습니다．

本日はお礼かたがたお伺いしました。（＝お礼を兼ねて）
I came to show my gratitude to you today.
今天来拜访，同时表达谢意。오늘은 인사를 할 겸，찾아 뵙겠습니다．

Nかたがた
れい　お見舞いかたがた
お詫びかたがた
ご報告かたがた
散歩かたがた

練習Ⅰ　正しいほうに○をつけなさい。

① 食べる（a. そばから　b. かたわら）次の料理がどんどん運ばれて、ゆっくり味わえなかった。

② 今日は先日のご報告（a. かたわら　b. かたがた）、部下の紹介に参りました。

③ 散歩（a. がてら　b. のそばから）立ち寄った美術館は、とてもすいていた。

④ その小説家は執筆（a. のかたわら　b. がてら）、趣味でピアノを弾いている。

⑤ その商品は、並べる（a. そばから　b. かたわら）飛ぶように売れていった。

練習Ⅱ　下の語を並べ替えて正しい文を作りなさい。＿＿に数字を書きなさい。

⑥ 忘年会の ＿＿ ＿＿ ＿＿ ＿＿ は、あまりよくなかった。

1　飲みに行った　　2　下見　　3　居酒屋　　4　がてら

⑦ 本日は ＿＿ ＿＿ ＿＿ ＿＿ した次第です。

1　かたがた　　2　先日の　　3　お詫び　　4　お伺い

（答えは p.60）

55 ページの答え：　Ⅰ－①b　②a　③a　④b　⑤a
Ⅱ－⑥2→1→4→3　⑦1→3→4→2

７日目　実戦問題

制限時間：15分
1問4点×25問

点数　／100

答えは別冊 p.3～4

問題１　次の文の（　　）に入れるのに最もよいものを、１・２・３・４から一つ選びなさい。

1　（　　　）店を続ける気はないです。

1　損とはいえ　　2　損といえども　　3　損をするまでも　　4　損をしてまでも

2　普段着はシンプルで（　　　）。

1　丈夫なのに限る　　2　丈夫な限りだ
3　丈夫に限らない　　4　丈夫に限ったことだ

3　病気（　　　）、いつまでも仕事を休んではいられない。

1　といえず　　2　というまでもなく　　3　と思いきや　　4　とはいえ

4　その商品がヒットしたの（　　　）、次々と類似品が発売された。

1　が最後　　2　を皮切りに　　3　や否や　　4　を思いきや

5　近くまで来ましたので、ご挨拶（　　　）お伺いしました。

1　かたがた　　2　かたわら　　3　ながら　　4　ながらも

6　明日（　　　）、退職いたします。

1　をもって　　2　というもの　　3　が最後　　4　に限り

7　デパートが開店する（　　　）、主婦たちが特売場に押し寄せた。

1　かと思いきや　　2　までもなく　　3　が早いか　　4　そばから

8　（　　　）と思っていたことだったが、記録しておいてよかった。

1　書くまでのことだ　　2　書くまでもない
3　書かないまでだ　　4　書かないまでもない

9　語彙を勉強しているが、覚えたと思った（　　　）忘れてしまう。

1　かたがた　　2　かたわら　　3　そばから　　4　がてら

10　この３週間（　　　）、ろくに寝ていない。

1　の限り　　2　といえども　　3　かと思いきや　　4　というもの

11 とにかくやってみよう。できなければ、あきらめる（　　　）。

1　わけだ　　2　わけにはいかない　3　までもない　　4　までのことだ

12 彼が美人で若いお嫁さんをもらったとは、うらやましい（　　　）。

1　限りだ　　2　限りではない　　3　に限る　　4　に限らない

13 遊びがてら（　　　）。

1　よく学んでください　　2　看護師の勉強をしています
3　ぜひいらっしゃってください　　4　お詫（わ）びに伺います

14 彼女は子どもを育てるかたわら、（　　　）。

1　時間が足りなくて悩んでいる　　2　家で料理教室も開いている
3　家事が得意で何をするのも早い　　4　将来は教師の資格を生かしたいそうだ

15 今日の試合に負けたといえども、（　　　）。

1　勝つわけがないと思っていた
2　勝てなかったのは仕方がなかった
3　相手チームとの力の差はほとんどなかった
4　相手チームほどの実力はなかった

問題2　次の文の＿★＿に入る最もよいものを、1・2・3・4から一つ選びなさい。

16 息子は頑固でいったん ＿＿＿ ＿＿＿ ＿★＿ ＿＿＿ 耳を傾けない。

1　だれの言うこと　　2　最後　　3　にも　　4　言い出したら

17 友人が ＿＿＿ ＿＿＿ ＿★＿ ＿＿＿ とは、夢にも思わなかった。

1　連絡を受けたが　　2　との　　3　そんなに悪かった　4　入院した

18 彼は ＿＿＿ ＿＿＿ ＿★＿ ＿＿＿ 乗り換えの電車に間に合わなかったようだ。

1　やいなや　　2　電車を降りる　　3　どうやら　　4　走り出したが

19 あなたの ＿＿＿ ＿＿＿ ＿★＿ ＿＿＿ 、油断してはいけません。

1　すれば　　2　とはいえ　　3　実力をもって　　4　合格は可能だ

20 その国は ＿＿＿ ＿＿＿ ＿★＿ ＿＿＿ いる。

1　目覚ましい進歩　　2　からというもの
3　をとげて　　4　オリンピックを開催して

第三週

問題3　次の文章を読んで、 21 から 25 の中に入る最もよいものを、１・２・３・４から一つ選びなさい。

ダイエットを成功させるのが難しいと感じているのは、私に 21 だろう。甘いおやつも今日 22 やめようと思うのだが、目の前にするとついつい手が伸びてしまう。食べたいものを我慢するということは、想像以上につらいことだ。また、それだけではなく、健康を害する恐れもあるということは 23 。特に急激なダイエットはよくない。理想の体重になった 24 、リバウンド(注)することもよくあるからだ。結局 25 、適度な運動をしてカロリーを消費したり、筋肉をつけることが大切だ。運動と規則正しい食生活を続けていると、徐々にではあるが、体重も落ちてくるものである。

（注）リバウンド：ダイエットで減った体重が短期間で元に戻る、または元の体重以上に増えてしまうこと。

21　1　限ってない　　2　限ってまでもない
　　3　限ったまで　　4　限ったことではない

22　1　早いか　　2　が最後を　　3　を皮切りに　　4　を限りに

23　1　言うまでだ　　2　言わないまでだ
　　3　言うまでもない　　4　言わないまでもない

24　1　が早いか　　2　や否や　　3　と思いきや　　4　とは思い

25　1　毎日とはいかないまでも　　2　毎日となるまでに
　　3　毎日といえども　　4　毎日というもの

敬語③　お召しになる・お気に召す　ー尊敬語ー

✤ 専門の医師が宮中※に召された。（＝呼ばれた）　※宮中：宮殿・皇居（天皇の住まい）の中

✤ お酒をお召しになりますか。（＝飲みますか）

✤ 社長夫人は、いつもお着物をお召しになっています。（＝着て）

✤ お風邪を召さぬようご自愛ください※。（＝引かないように）
※ご自愛ください：自分の健康に気をつけてください

✤ お気に召していただけましたでしょうか。（＝気に入って）

尊敬語で、
いろいろな意味の
言葉を表します。

57ページの答え：　Ⅰ－①a　②b　③a　④a　⑤a
Ⅱ－⑥2→4→1→3　⑦2→3→1→4

第4週

努力なくして合格はない

今週の表現

一日目

- □努力**なくして**成功**はない**
- □許可**なしに**使え**ない**
- □見る**ともなく**
- □やればできる**ものを**

二日目

- □大学教授**すら**
- □先生**にして**
- □大学生**ともあろう**者が
- □大臣**ともなると**

三日目

- □黒**ずくめ**
- □血**まみれ**
- □家族**ぐるみ**
- □プロ**並み**

四日目

- □休日**とあって**
- □娘のため**とあれば**
- □この状況**にあって**
- □お客様**あっての**

五日目

- □20万円**からする**バッグ
- □一秒**たりとも**
- □多少**なりとも**
- □あなた**ならでは**

六日目

- □わから**なくはない**
- □間に合わ**ないものでもない**
- □昔**とは比べものにならない**
- □なんとかなら**ないものか**

第４週　努力なくして合格はない

１日目　やればできるものを

Q.（　　）に入るのは？
彼が会社を辞めるという
話を（　　）聞いた。
聞くことなく
聞くともなく
聞くにはなく
聞いてない！

努力なくして成功はない　硬

努力なくして(は)成功は**ありえない**。（＝努力しなかったら）

Success cannot be obtained without effort.

如果不努力，就不可能成功。 노력 없이 성공은 있을 수 없다.

二国間の**相互理解なくして**両国の友好関係を保つこと**はできない**。（＝相互理解がなかったら）

Mutual understanding is essential to the friendship between two countries.

如果没有两国间的相互理解，就无法保持两国的友好关系。

두 나라간의 상호이해 없이 양국의 우호관계를 유지할 수는 없다.

> Nなくして…はない
> れい Vすることなくして～

許可なしに使えない

先生の**許可なしに**、それは使え**ません**。（＝許可がなかったら）

You cannot use it without the teacher's permission.

没有老师的许可，不能用这个。 선생님의 허가 없이 그것은 사용할 수 없습니다.

> Nなしに(は)…ない
> Nなしでは…ない

あなた**なしでは**生きていけ**ない**。（＝あなたがいなかったら）

I cannot live without you.

没有你，我就活不下去。 당신 없이는 살아갈 수 없다.

みなさんの**協力なしには**、でき**ません**。（＝協力がなかったら）

We cannot do it without your support.

没有大家的帮助，就无法做到。 여러분의 협력 없이는 할 수 없습니다.

見るともなく

テレビを**見るともなく**見ていたら、私の学校が映っていた。

（＝特に見るつもりではなく）

The TV was on and I suddenly noticed that my school was on the screen.

我无意间看了看电视，结果屏幕上出现的是我们学校。

텔레비전을 딱히 본다고 할 수 없이 (무심히) 보고 있었더니, 우리 학교가 나오고 있었다.

> Vるともなく V
> Vるともなしに V
> れい 聞くともなしに聞く
> 何をするともなく、ただ座っている
> Ⓞ いつからともなく
> どこへともなく

休みの日には**どこへ行くともなしに**ドライブすることが多い。

（＝特にどこに行くという目的もなく）

On my holidays, I often go out driving without any particular destination in mind.

休假的时候多是毫无目的地去开车兜风。

쉬는 날에는 어디를 간다고 할 수 도 없이 드라이브를 하는 경우가 많다.

やればできるものを

やればできるものを、どうして やらないんですか。（＝できるのに）

You know you can do it. Why don't you?
只要做就能做到，为什么不做呢？ 하면 가능한 것을 어째서 하지 않습니까.

もう少し頑張れば1位になれたものを、惜しかったですね。
（＝1位になれたのに）

It was a shame you couldn't get the first prize. You were very close.
如果再努力一点就能当上第一，真是可惜。 좀더 열심히 하면 1 위가 되었을텐데 아까웠군요.

ちょっと知らせてくれたらいいものを……。（＝知らせてくれたらいいのに、なぜ…）

Why didn't they tell me that?
你要是通知我一下就好了…。 조금 알려줬으면 좋았을 것을…

～ば V/A/na/N㊥ものを
na~~だ~~なものを
N~~だ~~であるものを
◆残念な気持ちを表す。

練習Ⅰ 正しいほうに○をつけなさい。

① 何を買う（a. ともなく　b. ことなしに）、デパートの中をぶらぶらしていたら、友人に会った。

② 黙っていればいい（a. ものを　b. ことを）、つい余計なことを言ってしまった。

③ 健康な体（a. なくしてに　b. なくしては）どんなにお金があっても幸せとは言えない。

④ この小説は涙（a. なしに　b. なくで）読むことができない。

⑤ 駅を降りたら、どこから（a. なくして　b. ともなく）おいしそうないい匂いがしてきた。

練習Ⅱ 下の語を並べ替えて正しい文を作りなさい。＿＿に数字を書きなさい。

⑥ ＿＿ ＿＿ ＿＿ ＿＿ 勉強に集中できない。

1　聞こえてくる　　2　ピアノの音が気になって
3　ともなく　　4　どこから

⑦ 五分早く ＿＿ ＿＿ ＿＿ ＿＿ 電車に乗り遅れてしまった。

1　のんびりしていて　　2　よかった
3　ものを　　4　家を出れば

（答えは p.65）

2日目　大学教授ですら

Q.（　　）に入るのは？
社長（　　）大変だろう。
ともあろうと
ともなく
ともなると
の人は

大学教授すら

彼は、大学教授(で)すら気が付かなかった問題点を指摘した。
（＝大学教授でも／でさえ）

He pointed out problems that even university professors had not noticed.
他指出了连大学教授都注意不到的问题点。 그는 대학교수조차 알아채지 못했던 문제점을 지적했다.

この悩みは親友にすら言えない。（＝親友にも／親友にさえも）
I can't talk about this problem even with my best friend.
这个烦恼连好朋友都不能说。 이 고민은 친구에게조차 말할 수 없다.

N(で)すら
N(に)すら
◆強調

先生にして　硬

先生にして間違えるのだから、できないのは当然である。（＝先生でも）
It is only natural that you couldn't solve it because your teacher couldn't either.
连老师都会错，不会做是理所当然的。 선생님도 틀리는 것이니, 할 수 없는 것은 당연하다.

竜巻が一瞬にして家を吹き飛ばした。（＝一瞬で）
A tornado blew my house away in a blink.
龙卷风顷刻间把房子卷走了。 회오리바람이 한순간에 집을 날려 버렸다.

彼は、医者にして、画家でもある。（＝医者で、また）
He is both a doctor and a painter.
他既是医生，也是画家。 그는 의사이고 화가이기도 하다.

Nにして

大学生ともあろう者が　硬

大学生ともあろう者が、その漢字を読めないのは恥ずかしい。
（＝大学生という身分の者が）

University students should feel ashamed of not being able to read this kanji.
作为一个大学生连那个汉字都不会读，真是难为情。
대학생정도 되는 자가 그 한자를 읽지 못하는 것은 부끄럽다.

一国の首相たる者が、このような発言をしてはいけない。
（＝首相の立場にある人）

The Prime Minister of a country should never say anything like this.
作为一国的首相，不可以有那样的发言。 한 나라의 수상정도 되는 자가 이와 같은 발언을 해서는 안된다.

N_1ともあろうN_2
N_1たるN_2
◆批判が続くことが多い。
れい　社長ともあろう人
　　　A社ともあろう企業
　　　教師たる者

大臣(だいじん)ともなると

❶ **大臣ともなると**、自由(じゆう)に行動(こうどう)できない。
（＝大臣のような重要(じゅうよう)な地位(ちい)の人物(じんぶつ)になったら）
Once you become a minister in a cabinet, you lose your freedom.
一旦成为大臣，就无法自由行动了。 장관정도 되면 자유롭게 행동해서는 안된다.

> ❶ Nとも ┌なると
> 　　　　└なれば

❷ いざ**出発(しゅっぱつ)となると**、不安(ふあん)になってきた。
（＝出発しようとするときになって）
When the departure time actually came, I started feeling worried.
一旦要出发了，突然不安起来。 막상 출발하려고 하니 불안해 졌다.

> ❷ Nと ┌なると
> 　V㊢と │なれば
> 　　　 └なったら

銀行(ぎんこう)でお金を**借(か)りるとなったら**、手続(てつづ)きが大変(たいへん)だ。（＝借りようとしたら）
You have to deal with a complicated process once you decide to borrow money from a bank.
如果要在银行借钱，手续会很麻烦。 은행에서 돈을 빌리자니, 수속이 큰일이다.

いざとなったら（＝重大(じゅうだい)な状況(じょうきょう)に直面(ちょくめん)したら） when the time comes 一旦有什么事 여차하면

練習Ⅰ 正しいほうに○をつけなさい。

① 彼(かれ)はとてもいい人だ。でも結婚(けっこん)（a. ともなく　b. となると）、ちょっと頼(たよ)りない気がする。

② 親(おや)（a. たる　b. にたる）者は、子どもが悪いことをしたときに、きちんとしかるべきだ。

③ あのような一流(いちりゅう)レストラン（a. ともなる　b. ともあろう）と、男性(だんせい)はネクタイが必要(ひつよう)だ。

④ 結婚(けっこん)なんてとんでもない。私は男の人と話したこと（a. すら　b. にすら）ないのです。

⑤ 盗(ぬす)みが悪いことであるのは、小さい子ども（a. ですら　b. ともなると）知っている。

練習Ⅱ 下の語を並(なら)べ替(か)えて正しい文を作りなさい。＿＿に数字(すうじ)を書きなさい。

⑥ ＿＿＿ ＿＿＿ ＿＿＿ ＿＿＿ にはこの暑さは厳(きび)しいだろう。

1 老人(ろうじん)　　2 ですら　　3 つらいのだから　　4 若(わか)い私たち

⑦ 内科(ないか)の ＿＿＿ ＿＿＿ ＿＿＿ ＿＿＿ が、栄養(えいよう)のことを気にかけないのは理解(りかい)できない。

1 者　　2 医者　　3 あろう　　4 とも

（答えは p.67）

63ページの答え：	Ⅰ－①a ②a ③b ④a ⑤b
	Ⅱ－⑥4→3→1→2 ⑦4→2→3→1

3日目　家族ぐるみ

黒ずくめ

黒ずくめの服装をする。（＝全部が黒の）　ダメ 黒だらけ

I dress all in black. 穿着一身黑衣服。 검정색 일색의 복장을 하다.

規則ずくめのこの学校をやめたい。（＝規則ばかりの）

I want to quit my school because there are too many rules.
我想从这个净是规则的学校退学。 규칙 투성이의 이 학교를 그만두고 싶다.

去年は**悪いことずくめの**年だった。今年はいい年でありますように。
（＝悪いことばかりの）

There were a lot of disasters last year. Let's hope this year will be a good one.
去年一年净是不好的事。希望今年是个好年。 작년은 나쁜 일 투성이의 해였다. 올해는 좋은 해가 되도록.

> Nずくめ
> れい 白ずくめ　記録ずくめ
> いいことずくめ
> ごちそうずくめ
> 異例ずくめ
> ダメ ほこりずくめ
> →ほこりだらけ

血まみれ

大変だ！女性が**血まみれになって**倒れている。
（＝血をいっぱい流して／血だらけになって）

My goodness! There is a woman lying on the ground covered with blood.
糟了！有位女性浑身是血地倒在地上。 큰일이다! 여자가 피투성이가 되어쓰러져 있어.

彼は**汗まみれになって**、一生懸命サッカーの練習をしている。
（＝汗をいっぱいかいて／汗だらけになって）

He is practicing soccer very hard so he is covered with sweat.
他浑身是汗，拼命地练习足球。 그 사람은 땀투성이가 되어, 열심히 축구연습을 하고 있다.

> Nまみれ
> ◆ 汚いものがたくさん付いているという状態を表す。
> れい 泥まみれ
> ほこりまみれ
> 借金まみれ

家族ぐるみ

彼とは長年**家族ぐるみの**付き合いをしている。（＝家族全員の）

He and I have been good friends for a long time and so have our families.
我们全家和他有长年来往。그 사람과는 오랫동안 가족끼리 만나고있다.

子どもたちの非行を減らすために、**町ぐるみで**活動をしている。
（＝町全体で）

We use different strategies in order to reduce crime among the young people in our town.
为了减少孩子们的不良行为，举办了整个镇子参与的活动。
아이들의 비행을 줄이기 위해 동네 전체가 활동을 하고 있다.

> Nぐるみ
> れい 地域ぐるみ
> 組織ぐるみ
> ◎ 身ぐるみはがされる
> （＝身に着けているものも全部とられる）

プロ並み

社長は将棋が趣味で、腕前は<u>プロ**並み**</u>だということだ。
（＝プロとほとんど同じ程度）
The president's hobby is shogi and I hear he plays at the professional level.
听说社长的爱好是下象棋，而且水平与专业选手差不多。
사장은 장기가 취미로 솜씨는 프로급이다.

裕福ではありませんが、<u>世間**並み**の生活</u>をしています。
（＝世間の人々と同じ程度の生活）
I am not rich but I make a decent living.
虽然不富裕，也过着普通人的生活。 유복하지는 않습니다만, 보통의 생활을 하고 있습니다.

N**並み**

れい 新幹線**並み**のスピード
日本人**並み**に日本語を話す
休日**並み**の混雑
平年**並み**の気温

◎ 十人**並み**（＝平均的）

練習 I 正しいほうに○をつけなさい。

① 旅行をしている間ずっと、ごちそう（a. まみれ　b. ずくめ）で、少し太ってしまいました。

② 初めてのスキーでは転んでばかりで、雪（a. まみれ　b. ずくめ）になってしまった。

③ その企業が会社（a. ずくめ　b. ぐるみ）で脱税をしていたのが発覚した。

④ カラスは人間（a. ぐるみ　b. 並み）の知能があるといわれています。

⑤ 夏の海岸で砂（a. まみれ　b. ぐるみ）になって遊んだ。

練習 II 下の語を並べ替えて正しい文を作りなさい。＿＿に数字を書きなさい。

⑥ 彼は ＿＿ ＿＿ ＿＿ ＿＿ してしまった。

1　まみれに　　2　なったあげく　　3　破産　　4　借金

⑦ 彼女は ＿＿ ＿＿ ＿＿ ＿＿ をしている。

1　としては　　2　女優　　3　十人並みの　　4　容姿

（答えは p.69）

65ページの答え：　I－①b　②a　③a　④a　⑤a
II－⑥4→2→3→1　⑦2→4→3→1

4日目　この状況にあっては

Q.（　　）に入るのは？
健康な体（　　）人生だ。
とあっての
あっての
にあっての
だからの

休日とあって

今日は休日**とあって**、車の混雑が激しい。（＝休日だから）
Today is a holiday so the traffic is terribly congested.
因为今天是休息日，路上极其拥挤。 오늘은 휴일이어서 차의 혼잡이 심하다.

久しぶりの再会**とあって**、彼らは何時間も話していた。
（＝久しぶりの再会だから）
They talked for many hours because they had not seen each other for a long time.
因为好久没有见面了，他们聊了好几个小时。 오랫만에 재회여서 그들은 몇 시간이나 이야기하고 있었다.

> V/A/na/N(普)**とあって**
> na/N**とあって**
> ◆自分のことにはあまり使わない。

娘のためとあれば

娘のため**とあれば**、どんなことでもします。（＝娘のためなら）
I'll do anything for my daughter.
如果是为了女儿，什么事情都可以做。딸을 위해서라고 하면 어떤 일이라도 하겠습니다.

いいものを安く買える**とあれば**、遠くの店でも喜んで行きます。
（＝安く買えるなら）
I'd be happy to go to a far-away shop if I could get nice things cheaply.
如果能买到便宜的好东西，就算是距离远的商店也乐意去。
좋은 것을 싸게 살 수 있다고 하면 멀리있는 가게라도 기꺼히 가겠습니다.

> V/A/na/N(普)**とあれば**
> na/N**とあれば**
> ◆強調

この状況にあって　硬

この状況**にあって**、利益を伸ばすのは困難だ。（＝この状況において）
It is difficult to make more profit under the present circumstances.
处于这种状况下，很难再增加收益。 이 상황에서 이익을 늘리는 것은 곤란하다.

父は大学教授だが、家庭**にあっては**ふつうの父親です。（＝家庭においては）
My father is a university professor but he is an ordinary father at home.
父亲是大学教授，但在家里就是普通的父亲。 아버지는 대학교수지만 가정에서는 보통의 아버지입니다.

> N**にあって（は）**

お客様あってのN

お客様**あっての**仕事だから、言葉遣いに気を付けてください。

N₁あってのN₂

（＝お客様があって初めてできる仕事）

Please pay attention to the language you use with clients since we cannot afford to lose any of them.

有客户才有工作，请注意措词。 손님이 있고서의 일이니까 말투에 주의해 주세요.

健康**あっての**人生だ。病気にならないよう気をつけよう。（＝人生は健康が第一だ）

You don't have much if you don't have your health. Let's stay healthy.

健康是人生的首要前提，注意不要生病。 건강이 있고서의 인생이다. 병에 걸리지 않도록 주의하자.

第四週

練習Ⅰ 正しいほうに○をつけなさい。

① 僕の幸せは家族（a. あっての　b. にあっての）ものだ。みんな病気をせず元気でいてほしい。

② 父は、たとえ日曜であっても、仕事（a. とあれば　b. にあって）どこへでも行く。

③ 事業の成功は、皆さんの協力（a. あっての　b. とあっての）ものと感謝しています。

④ 決勝戦（a. とあって　b. にあって）、その試合の入場券はすぐに売り切れた。

⑤ 情報が氾濫する時代（a. あって　b. にあって）、必要なものを選択するのは難しい。

練習Ⅱ 下の語を並べ替えて正しい文を作りなさい。＿＿に数字を書きなさい。

⑥ 我が子の ＿＿ ＿＿ ＿＿ ＿＿ も我慢できるものだ。

1　ため　　2　どんな　　3　苦労　　4　とあれば

⑦ ＿＿ ＿＿ ＿＿ ＿＿ 彼には頭が下がる。

1　あきらめないで　　2　困難な状況に　　3　努力をする　　4　あっても

（答えは p.71）

67ページの答え：　Ⅰ－①b　②a　③b　④b　⑤a
Ⅱ－⑥4→1→2→3　⑦2→1→3→4

第４週　努力なくして合格はない

5日目　あなたならでは

Q.（　　）に入るのは？
一日（　　）、日記を欠かしたことはありません。
ならでは
たりとも
だけとも
だけ

20万円からするバッグ

彼女は、<u>20万**からする**</u>バッグをいくつも持っている。（＝20万円もする）
She has many purses that are each worth about 200,000 yen (or more).
她有好儿个20多万日元的手提包。 그녀는 20 만엔이나 하는 가방을 몇 개나 가지고 있다.

<u>７キロ**からある**</u>道を歩いて帰った。（＝７キロもある）
I walked about 7 km (or more) to get home.
足有7公里多的路途，走着回来的。 7 킬로미터나 되는 길을 걸어서 돌아갔다.

この店を改装するには<u>500万円**からの**</u>資金が必要である。（＝500万円もの）
You will need about 5 million yen (or more) to remodel the shop.
要改装这家店，需要500多万的资金。 이 가게를 개장하는 데에는 500 만엔 이상의 자금이 필요하다.

> N〈重量･寸法･数〉**からある**
> N〈値段〉**からする**
> N〈費用･数〉**からの**
> ◆その数量が多いということを表す。

一秒たりとも

試験では<u>一秒**たりとも**</u>時間をむだに使ってはいけません。
（＝たとえ一秒であっても）
You should not waste even one second during the exam.
在考试中，哪怕是1秒钟都不能浪费使用。
시험에서는 단 일초라도 시간을 헛되이 사용해서는 안됩니다.

その店は、<u>一円**たりとも**</u>まけてくれませんよ。（＝たとえ一円であっても）
The shop will not knock off even one yen.
那家店，哪怕是1日元都不会让价。 그 가게는 단 일엔도 깍아주지 않습니다.

> N**たりとも**～ない
> ◆ N＝最小の数量
> れい　一日**たりとも**
> 一滴**たりとも**
> 一粒**たりとも**
> 一瞬**たりとも**
> 一度**たりとも**

多少なりとも　硬

歌舞伎については、<u>多少**なりとも**</u>知っています。（＝少しは）
I know a few things about kabuki.
关于歌舞伎，多少知道一点。 가부키에 대해서는 다소 알고 있습니다.

お嬢さんに<u>一目**なりとも**</u>会わせていただけませんでしょうか。
（＝一目だけでも）
Could I not see your daughter just for a second?
能否让我见一见您女儿，哪怕只看一眼。 따님과 한순간일지라도 만나게 해주지 않겠습니까.

> N**なりと（も）**
> ◆ 疑問詞や例示につく。
> れい　わずか**なりとも**
> どこへ**なりと（も）**
> なん**なりと**
> いつ**なりと**

あなた**ならでは**

あなた**ならでは**の発想で、この企画を考えてください。（＝あなた独自の）
Please come up with your own unique plan.
请用你独特的思考方式考虑这个企划。 당신만이 할 수 있는 발상으로 이 기획을 생각해 주세요.

これは当店**ならでは**の特別価格です。（＝当店だけの）
This is a special price which is being offered only at this store.
这个是本店独有的特价。이것은 우리 가게만의 특별가격입니다.

このような習慣があるのは、この地方**ならでは**です。（＝この地方だけ）
This kind of custom is unique to this area.
有这样的习惯是这个地方所特有的。이와 같은 습관이 있는 것은 이 지방뿐입니다.

Nならでは

◆よい内容を表すことが多い。

れい 女性ならでは
主婦ならでは
手作りならでは
映画ならでは
田舎ならでは

練習Ⅰ 正しいほうに○をつけなさい。

① 「鈴木」なんていう名前、この町に千から（a. ある　b. ない）んだよ。どうやって彼を探すんだよ。

② 300枚（a. からする　b. からある）ＣＤの置き場に困っている。

③ お米一粒（a. たりとも　b. からある）粗末にするなと、よく祖母から言われた。

④ 桜の木の下で酒を飲んで歌を歌う。日本（a. ならではの　b. ならでもの）お花見の風景だ。

⑤ その若者と話してみて、多少（a. だけとも　b. なりとも）共感できることがあった。

練習Ⅱ 下の語を並べ替えて正しい文を作りなさい。＿＿に数字を書きなさい。

⑥ 新作の映画の ＿＿ ＿＿ ＿＿ ＿＿ のある映像です。

1　見どころは　　2　ならではの
3　コンピューターグラフィック※　　4　迫力

※コンピューターグラフィック：computer graphics (CG)
电脑制图　컴퓨터그래픽

⑦ その犬は飼い主の ＿＿ ＿＿ ＿＿ ＿＿ ついていくそうだ。

1　どこへ　　2　ところは　　3　なりとも　　4　行く

（答えは p.73）

69ページの答え：　Ⅰ－①a　②a　③a　④a　⑤b
Ⅱ－⑥1→4→2→3　⑦2→4→1→3

6日目　なんとかならないものか

Q.（　　）に入るのは？
肉は（　　）が、
たいてい魚を食べている。
食べることはない
食べなくもない
食べるものでもない
食べたい！

わからなくはない

彼は会社を辞めたいらしい。その気持ちはわから**なくはない**。
（＝わかると言っていい）

I gather he wants to quit his job. I can understand him to some extent.
他似乎想辞职。那心情也不是不能理解。그는 회사를 그만 둘 것 같다. 그 기분을 모르는 것은 아니다.

でき**なくはない**が、自信がないからやりたくない。
（＝できると言っていい）

I may be able to do it but I don't want to do it because I don't have enough confidence.
也不是做不到，但因为没有信心，所以不想做。 가능하지 않은 것은 아니지만, 자신이 없으니까 하고 싶지 않다.

それくらいのマンションなら、無理すれば買え**なくもない**。（＝買えるかもしれない）
I may be able to buy such an apartment if I really put my mind to it.
如果是这种程度的房子，咬咬牙也不是买不起。 그 정도의 아파트라면 무리하면 살 수 없는 것은 아니다.

Aく**なく**
naで**なく**
V**なく**
Vら**れなく**
→ **は ない** / **も ない**
Nが**なくはない**
Nが**なくもない**
◆ 消極的に肯定する言い方。

間に合わないものでもない　硬

今すぐ会社を出れば、コンサートに間に合わ**ないものでもない**。
（＝もしかしたら、間に合うかもしれない）

You may be able to make it in time for the concert if you leave the office right now.
如果现在马上离开公司，也并不是赶不上音乐会。
지금 바로 회사를 나오면 콘서트시간에 대지 못하는 것도 아니다.

条件によっては、その仕事を引き受け**ないものでもない**。（＝もしかしたら、引き受けるかもしれない）
I may take the work depending on the conditions.
看什么条件了，并非不能接受那个工作。　조건에 따라서는 그 일을 맡지 않는 것도 아니다.

V**ない(もの)でもない**
◆可能性があるときに使う。

昔とは比べものにならない

今の車の性能は、昔**とは比べものにならない**。
（＝全然違うので比べることができない）

Cars these days are much more fuel efficient than they were in the past.
现在的汽车性能和以前无法相提并论。 요즘 차의 차의 성능은 옛날과 비교할 수 없다.

彼の成績は、私**とは比べものにならない**ほどいい。（＝レベルが全然違って比べることができない）
His marks are way better than mine.　他的成绩很好，是我无法比拟的。 그의 성적은 나와는 비교도 할 수 없을 정도로 좋다.

N**とは比べものにならない**

なんとかならないものか　硬

このにおい、なんとかならないものか！

（＝どうにかしたい）

Can't we do anything about this smell?

这味道，难道没什么办法吗！　이 냄새，어떻게 안되나！

（どうにか）
（なんとか）
（もう少し）
Vないもの（だろう）か
Vれないもの（だろう）か

大事な時計が壊れてしまった。どうにか直せないものだろうか。（＝どうにか直したい）

This precious clock is out of order. Can't we fix it one way or another?

珍贵的表坏了，难道没办法修理了吗。　중요한 시계가 부서지고 말았다．어떻게든고칠 수 없는 것일까．

練習Ⅰ　正しいほうに○をつけなさい。

① お金と時間をかければ、私にだってそれはできない（a. ものか　b. ものでもない）。

② 字がきれいに書ける方法は（a. ないもの　b. ないこと）だろうか。

③ 彼女が腹を立てるのも（a. わからなくはない　b. わからないものだ）が、そんなに怒らなくてもいいだろう。

④ 彼女の声の大きいのはもう少しどうにか（a. なくもない　b. ならない）ものだろうか。

⑤ 彼の練習量は、ほかの選手と（a. 比べることにならない　b. 比べものにならない）くらい多い。

練習Ⅱ　下の語を並べ替えて正しい文を作りなさい。＿＿に数字を書きなさい。

⑥ このパソコンは高いが性能がいいので、値引き率 ＿＿ ＿＿ ＿＿ ＿＿ ない。

1　買わない　　2　によって　　3　は　　4　ものでも

⑦ これは、ほかの ＿＿ ＿＿ ＿＿ ＿＿ がいいですよ。

1　比べもの　　2　品質　　3　にならないほど　　4　とは

（答えは p.76）

71ページの答え：　Ⅰ－①a　②b　③a　④a　⑤b
Ⅱ－⑥1→3→2→4　⑦4→2→1→3

第４週　努力なくして合格はない

７日目　実戦問題

制限時間：15分
1問4点×25問

点数
／100

答えは別冊 p.3 ～ 4

問題１　次の文の（　　）に入れるのに最もよいものを、１・２・３・４から一つ選びなさい。

1　医者（　　　）者が金もうけばかり考えてはいけない。

1　すら　　2　にした　　3　であろう　　4　たる

2　高校生（　　　）、ファッションに敏感になるものだ。

1　にして　　2　ともなると　　3　にあって　　4　ならでは

3　家で楽しく運動できる（　　　）、そのゲームの人気が高いのもうなずける。

1　とあれば　　2　とあろうと　　3　となって　　4　となろうと

4　魚（　　　）漁業なのに、最近は魚が少なくなってしまった。

1　あっての　　2　なくしては　　3　ぐるみの　　4　からする

5　海外に転勤になった。（　　　）が、楽しみでもある

1　不安がないものだ　　2　不安なくしてはない
3　不安すらない　　4　不安もなくはない

6　私の本が、多少（　　　）若い人たちにいい影響を与えているとしたらうれしい限りです。

1　とあれば　　2　とあって　　3　なりとも　　4　なろうとも

7　彼女の悪口など一言（　　　）言ったことはありませんよ。

1　とあっては　　2　からあり　　3　からとも　　4　たりとも

8　事件を起こしたのは彼だが、私に責任が（　　　）。

1　なしにはない　　2　なくしてはない　　3　ないものでもない　　4　なくとはない

9　住民の協力（　　　）、ゴミの削減はできない。

1　にして　　2　ならでは　　3　なくして　　4　ないものを

10　A社の今回の人事は異例（　　　）だった。

1　ずくめ　　2　まみれ　　3　ならでは　　4　ぐるみ

11 国際化の時代（　　　）、我が社の保守的なやり方は世界に通用しないのではないだろうか。

1　ですら　　2　にあって　　3　なみに　　4　なしに

12 試合中に大雨が降って泥（　　　）になった。

1　ずくめ　　2　まみれ　　3　ぐるみ　　4　のだらけ

13 大企業（　　　）、賃金が減らされるような状況だから、ボーナスのカットは避けられないだろう。

1　とあれば　　2　ともなると　　3　なりとも　　4　にして

14 この時計が 100 万円（　　　）なんて、信じられない。

1　とある　　2　ぐるみ　　3　からする　　4　ともあろう

15 彼はアマチュアだが、プロ（　　　）の技術を持っている。

1　なみ　　2　ならでは　　3　ずくめ　　4　あって

問題２　次の文の＿★＿に入る最もよいものを、１・２・３・４から一つ選びなさい。

16 相談してくれれば ＿＿ ＿＿ ＿★＿ ＿＿ と言われても困る。

1　今頃　　2　何とかした　　3　何とかしてくれ　　4　ものを

17 君の気持ちはわからなく ＿＿ ＿＿ ＿★＿ ＿＿ ことは認めたほうがいいだろう。

1　言いすぎた　　2　ないが　　3　この状況　　4　にあって

18 その映画は、＿＿ ＿＿ ＿★＿ ＿＿ ものだった。

1　涙なしには　　2　見られない
3　とあって　　4　アカデミー賞候補

19 人のことと ＿＿ ＿＿ ＿★＿ ＿＿ ができないものだ。

1　なると　　2　違って
3　冷静な見方　　4　いざ自分のことと

20 ここの通勤ラッシュはすごい ＿＿ ＿＿ ＿★＿ ＿＿ と思う。

1　とは　　2　比べものにならない
3　東京　　4　といえども

問題3　次の文章を読んで、[21]から[25]の中に入る最もよいものを、1・2・3・4から一つ選びなさい。

年とともにひどくなる体のだるさや疲れ、[21]ものだろうかとお思いではありませんか。年齢のせいにして家で何を[22]ぼーっとテレビを見て過ごす毎日はもったいないです。

本日は長年の実績のある当社[23]商品をご紹介したいと思います。この「永元丸」は、一日一粒で、だんだんと体に元気が戻ってきます。家の中を歩くのがやっとだったこちらの90歳のおばあちゃんは、飲み始めて1ヵ月、今や[24]欠かさず公園へ散歩に行くのが日課になりました。1びん300粒入りと大容量ですので、ご家族でお使いいただけます。この機会にぜひお試しください。

さて、気になるお値段の方ですが、この不況下[25]お客様にあまり負担をおかけするわけには参りません。本日は特別価格、7,980円でご奉仕させていただきます。

[21]
1　どうしようもない
2　どうにもならない
3　なんとかしたい
4　なんとかならない

[22]　1　するではなく　2　するともなく　3　しなくもなく　4　しないではなく

[23]　1　ならではの　2　なみの　3　ともなる　4　からする

[24]　1　多少なりとも　2　多少たりとも　3　1日なりとも　4　1日たりとも

[25]　1　とあって　2　ですら　3　なりとも　4　あっての

敬語④　練習問題

【問い】 正しいほうに○をつけなさい。(答えはp.79)

① (a. 貴社　b. 弊社) の社員の方々と交流ができたことを、たいへんうれしく思います。

② このたび (a. 愚店　b. 弊店) の不手際でご迷惑をおかけしましたことを、お詫び申し上げます。

③ 先日お買い求めいただいた品は、(a. お気に召して　b. お気に召しあがって) いただけましたでしょうか。

④ 御 (a. 高父　b. 尊父) にお目にかかれるのを楽しみにしております。

⑤ (a. 小妻　b. 愚妻) も一緒に参りたいと申しておりますが、よろしいでしょうか。

p.28、p.44、p.60で
学習した敬語の
練習をしましょう。

73ページの答え：　Ⅰ－①b　②a　③a　④b　⑤b
Ⅱ－⑥2→3→1→4　⑦4→1→3→2

第5週

努力せずにはすまない

今週の表現

一日目
- □歯を抜か**ずにすんだ**
- □お礼をせ**ずにすまない**
- □謝る**だけではすまない**
- □感動させ**ずにはおかない**

二日目
- □間に合い**そうもない**
- □たとえ**ようがない**美しさ
- □町の変わり**よう**に驚いた
- □行こ**うにも**行け**ない**

三日目
- □うちの息子**ときたら**
- □安くておいしい**ときている**
- □すでに述べた**ごとく**
- □彼の**ごとき**人物

四日目
- □成功する**に至った**
- □貯金の額**に至るまで**
- □検査の結果**いかんでは**
- □理由**のいかんにかかわらず**

五日目
- □見かけ**によらず**
- □輸入業者**にとどまらず**
- □空の青**と相まって**

六日目
- □親の期待に応える**べく**
- □望む**べくもない**
- □ここに駐車する**べからず**
- □許す**べからざる**行為

1日目　謝る（あやま）だけではすまない

Q.（　　）に入るのは？
税金（ぜいきん）は払（はら）わずには（　　）。
わけがない
おかない
すまない
払いたくない！

歯（は）を抜（ぬ）かずにすんだ　《済んだ》

かなりひどい虫歯（むしば）だったが、<u>抜かずにすんで</u>よかった。
（＝抜く必要（ひつよう）がなく終わって）

Although the cavity was pretty bad, I'm glad that I was able to keep my tooth.
虫牙相当严重，不过幸好不用拔掉。　상당히 심한 충치였지만 , 뽑지 않아도 되어서 다행이었다 .

> V~~ない~~ずに
> ❗ しない→せずに
> Vないで
> Vなくて
> ］すむ

図書館で借りたので、本を<u>買わずにすんだ</u>。（＝買う必要がなくて解決（かいけつ）した）

I borrowed the book from the library so I didn't have to buy it.
在图书馆借到了，就不用买书了。　도서관에서 빌렸기 때문에 책을 사지 않아도 되었다 .

お礼（れい）をせずにすまない　《済まない》

田中（たなか）さんには本当にお世話（せわ）になった。なにか<u>お礼をせずにはすまない</u>。
（＝お礼をしないわけにはいかない／お礼をしなければならない）

I owe Tanaka-san so much. I want to show him my gratitude in some way.
真的是受了田中很多照顾。必须以某种方式道谢。
다나카 씨에게는 정말 신세를 졌다 . 반드시 무언가 보답을 해야 한다 .

> V~~ない~~ずに(は)すまない
> ❗ しない→せずに
> Vないで(は)すまない

汚職（おしょく）が発覚（はっかく）した以上、彼（かれ）は議員（ぎいん）を<u>辞職（じしょく）せずにはすまない</u>だろう。
（＝辞職しないわけにはいかない／辞職しなければならない）

Since his involvement in corruption has been disclosed, he will definitely have to resign from being an assemblyman.
既然贪污的事情暴露了，他不得不辞去了议员。
오직이 발각된 이상 그는 반드시 의원을사직해야 한다 .

謝る（あやま）だけではすまない　《済まない》

多大（ただい）な損害（そんがい）を与（あた）えたのだから、<u>謝るだけではすまない</u>。
（＝謝るだけでは許（ゆる）されない）

You have caused so much damage that you can't get off the buck by just apologizing.
因为造成了重大损失，光道歉不行。
큰 손해를 끼쳤기 때문에 사과하는 것만으로는 끝나지 않는다 .

> V/A/na/N㊥ ┌では ┐
> ❗ na~~だ~~ 　│じゃ │すまない
> 　N~~だ~~ 　└だけでは┘

これ以上彼（かれ）をからかうのはやめなさい。<u>冗談（じょうだん）じゃすまなくなる</u>よ。（＝冗談では許されなくなる）

Stop making fun of him or you may cause some trouble.
不要再接着嘲笑他了。要不就不是开玩笑那么简单了。　이 이상 , 그를 놀리는 것은 그만둬라 . 농담으로 끝나지 않게 된다 .

感動させずにはおかない　硬

彼女の演技は見る人を感動させ**ずにはおかない**。（＝必ず感動させる）
Her performances move the audience without fail.
她的演技必然会让观众感动。 그녀의 연기는 보는 사람을 반드시 감동시킨다.

長引く不況は国民を苦しめ**ずにはおかない**。（＝必ず苦しめてしまう）
A long lasting economic slump is definitely causing difficulties for the entire population.
长期的不景气必然会让国民痛苦。 길어지는 불황은 국민을 반드시 괴롭히고 만다.

この事件は、政治に影響を与え**ずにはおかなかった**。（＝自然と影響を与えた）
This incident did not leave the political world unaffected.
这个事件必然会影响到政治。 이 사건은 자연스럽게 정치에 영향을 주었다.

> V ~~ない~~ずにはおかない
> ❗ しない→せず
> V ないではおかない

練習Ⅰ 正しいほうに○をつけなさい。

① 帰りが遅くなってしまった。父にしかられないでは（a. おかない　b. すまない）だろう。

② その劇は見る者全員に感動を（a. 与えずにはおかない　b. 与えるだけではすまない）ほどすばらしかった。

③ それは法に触れる行為です。知らなかった（a. ではおかない　b. ではすまない）ですよ。

④ 父が脳梗塞※で倒れて入院したが、手術せずに（a. すんで　b. すまなくて）よかった。
※脳梗塞：a stroke (cerebral infarction)　脑梗塞　뇌경색

⑤ 税金は払いたくないが、払わず（a. ではすまない　b. にはすまない）。

練習Ⅱ 下の語を並べ替えて正しい文を作りなさい。＿＿に数字を書きなさい。

⑥ 知らなかった ＿＿ ＿＿ ＿＿ ＿＿ すまないだろう。

1　謝らずに　　2　迷惑をかけた　　3　とはいえ　　4　のだから

⑦ 学校側は ＿＿ ＿＿ ＿＿ ＿＿ だろう。

1　おかない　　2　バイク通学を　　3　禁止せずには　　4　危険性が高い

（答えは p.81）

76ページの答え：①a　②b　③a　④b　⑤b

第5週　努力せずにはすまない

2日目　間に合いそうもない

Q.（　　）に入るのは？
電車が止まってしまって、
家に（　　）帰れない。
帰れそうもなく
帰ろうと
帰ろうにも
帰りたい

間に合いそうもない

この分では、閉め切りの期限に**間に合いそうもない**。
（＝間に合う可能性は低い）
At the pace we are going, it doesn't look like we'll make the deadline.
按这个样子，看来无法赶得上截止日期了。 이 상태라면 마감 기한에 맞출 수 있을 것 같지 않다.

V~~ます~~そう ┌ もない
　　　　　　　└ にない

できそうもないことを、簡単に引き受けるな。（＝できる可能性の低い）
Don't undertake a job which you can't do!
不要轻易接受看来无法做到的事情。 가능할 것 같지 않은 일을간단히 맡지 말아라.

たとえようがない美しさ

先日見た富士山は**たとえようがない**美しさだった。
（＝たとえる方法がない）
I saw Mt. Fuji the other day and it was too beautiful to describe.
前几天看到的富士山漂亮得无法比喻。 지난 번에 본 후지산은 비유할 수 없을만큼 아름다웠다.

こんなところで地震が起きたら、**逃げようがない**。（＝逃げる方法がない）
We have no way to escape from here if an earthquake happens.
如果在这样的地方发生地震就无处可逃。 이런 곳에서 지진이 일어난다면 도망갈 수 없다.

V~~ます~~よう ┌ がない
　　　　　　　├ もない
　　　　　　　└ のないN

◎ どうしようもない
（＝どうする方法もない）

町の変わりように驚いた

20年ぶりの故郷の**変わりように**驚いた。（＝変わったその様子に）
I was surprised by how much my hometown had changed during the last 20 years.
对阔别20年的故乡的变化感到惊异。 20년 만의 고향의 변한 모습에 놀랐다.

彼女の子どもの**かわいがりようは**、少し異常なくらいだ。
（＝かわいがる様子は）
The way she indulges her child is a bit unusual.
她对孩子的疼爱方式，甚至有些异常。그녀의 아이를 귀여워하는 모습은 조금 이상할 정도이다.

V~~ます~~よう
れい ～よう（とい）ったらない

◎ ものは**考えようだ**。（＝考え方による）
Something good can come out of it. 事情要看怎么想。 사물은 생각하기 나름이다.

行こうにも行けない

❶ 電車が止まっているので、会社に<u>行こうにも行けない</u>。

（＝行こうとしても行く方法がない）

I want to go to the office but I can’t because the trains are not running.
因为电车停运了，想去公司也没法去。 전철이 멈추어 있어서 회사에 가려고 해도갈 수 없다.

警察官なのに振り込め詐欺にあって、<u>泣くにも泣けない</u>。

（＝泣きたいけれど泣くことができない）

I am very depressed about the fact that although I am a policeman, I was the victim of a remittance scam.
虽然是警察，却碰上了汇款诈骗，真是欲哭无泪。 경찰관인데 입금사기를 당해 울려고 해도 울 수가 없다.

> Vようにも V れない。
> Vるに(も) V れない。
> ◆何か理由があってできないときに使う。

❷ <u>結婚しようにも</u>相手がいない。（＝結婚したいが）

I like to get married but I can’t find anyone I want to marry (or anyone who wants to marry me).
就算想结婚，也没有对象。 결혼하려고 해도 상대가 없다.

天ぷらを<u>作るにも</u>作り方がわからない。（＝作りたいが／作ろうとしても）

I want to make tempura, but have no clue as to how to make it.
就算想做天麸罗，也不知道怎么做。 튀김을 만들려고 해도 만드는 법을 모른다.

> Vようにも…
> Vるにも…
> ◆…は V ができない理由。

練習Ⅰ 正しいほうに○をつけなさい。

① 最終電車が行ってしまって、タクシーに（a. 乗ろうにも　b. 乗りようがなく）お金が足りなかった。

② できる限りやさしく言葉の意味を教えた。もうこれ以上、説明（a. のしようが　b. しそうも）ない。

③ この雨はしばらくやみそう（a. がない　b. もない）。

④ 台風で川の水があふれ、橋を渡ろうにも（a. 渡れない　b. 渡れようがない）。

⑤ 飛び出してきた自転車を（a. 避けようが　b. 避けそうも）なく、ひいてしまった。

練習Ⅱ 下の語を並べ替えて正しい文を作りなさい。＿＿に数字を書きなさい。

⑥ あの人とは、いくら ＿＿ ＿＿ ＿＿ ＿＿ と思う。

1　そうにない　　2　としても　　3　わかり合え　　4　話し合った

⑦ 彼女のこの ＿＿ ＿＿ ＿＿ ＿＿ ではないから、救急車を呼んだほうがいいよ。

1　普通　　2　ようは　　3　異常な　　4　痛がり

（答えは p.83）

79 ページの答え： Ⅰ－①b　②a　③b　④a　⑤b
Ⅱ－⑥3→2→4→1　⑦4→2→3→1

3日目　すでに述べたごとく

Q.（　　）に入るのは？
私（　　）、そのような
責任の重い仕事は
引き受けられません。
ときたら
ごときには
のようでは
ぼくはいやだ！

うちの息子ときたら

うちの娘**ときたら**、もうすぐ試験なのに遊んでばかりいるんですよ。
（＝うちの娘のことを言えば）

My daughter is not studying at all although her exam is coming soon.
要说我女儿，尽管马上要考试了，可还是光玩。 우리집 딸은, 이제 곧 시험인데 놀고만 있습니다.

最近はやっている歌**ときたら**、心に残らないものばかりだ。（＝最近はやっている歌について言えば）
None of the recent popular songs is very memorable.
要说最近流行的歌曲，全是些给人留不下深刻印象的。 요즘 유행하는 노래는 마음에 남지 않는것 뿐이다.

> Nときたら
> ◆非難の気持ちを表すことが多い。

安くておいしいときている

その店は安くておいしい**ときている**から、いつも客でいっぱいだ。
（＝安くておいしいから当然）

The restaurant is always full because it is cheap and good.
因为都说那家店价格便宜而且好吃，所以总是客满。 그 가게는 싸고 맛있어서 항상 손님으로 가득하다.

田中さんは明るくて優秀**ときている**ので、就職には困らないでしょう。（＝明るくて優秀なので当然）
Tanaka-san is bright and cheerful so she won’t have trouble finding a job.
因为都说田中开朗而且优秀，应该不愁找工作。 다나카 씨는 밝고 우수해서 취직하기는 곤란하지 않을 것입니다.

> V/A/na/N普**ときている**
> N**ときている**

すでに述べたごとく　硬

すでに述べた**(が)ごとく**、この調査方法にはいくつかの問題点がある。
（＝言ったように）

As I pointed out earlier, there are a few problems with the method used to conduct this survey.
正如刚才所述，这个调查方法有若干个问题点。이미 말한 바와 같이 이 조사 방법에는 몇 가지 문제점이 있다.

そのろう人形は、まるで生きている**かのごとく**、我々を見ていた。
（＝生きているかのように）

The wax figure was looking at us as if it were alive.
那个蜡人，简直像活的一样在看着我们。그 밀랍인형은 마치 살아 있는 것처럼 우리들을 보고 있다.

> Vる/Vた**(が)ごとく**
> N**のごとく**
> V/A/na/N普**かのごとく**
> ❗ N~~だ~~**である**
> na~~だ~~**である**
> ◎**湯水のごとく**（＝お湯や水のように）→無駄に使うことのたとえ

彼の**ごとき**人物　硬

彼の**ごとき**人物は忘れられて当然だ。（＝彼のような人物）

It's natural for people to want to forget a guy like that.
像他那样的人物，当然会被忘记。 그와 같은 인물은 잊혀지는 것이 당연하다.

そのような莫大な金額は、我々の**ごとき**庶民には払えるはずがない。（＝我々のような庶民が）

Common people like us could never pay such an enormous amount of money.
这样巨大的金额，像我们这样的老百姓不可能支付得起。 그러한 막대한 금액은 우리들과 같은 서민이 지불할 수 있을 라가 없다.

> N_1の**ごとき**N_2
> N**ごとき**
> ◆批判や軽蔑を表すことが多い。

練習Ⅰ 正しいほうに○をつけなさい。

① 最近のテレビ番組（a. ときたら　b. としたら）コマーシャルが多すぎる。

② グラフに示した（a. ごとき　b. ごとく）、わが社の営業成績は伸びています。

③ その難問が小学生（a ときたら　b. ごときに）解けるわけがない。

④ 酒好きの父（a. のごとく　b. ときたら）、毎晩ひどく酔っ払って帰ってくるので困る。

⑤ 子どものけんか（a. ごとき　b. ごとく）に警察を呼ぶとは、大げさだ。

練習Ⅱ 下の語を並べ替えて正しい文を作りなさい。＿＿に数字を書きなさい。

⑥ その大統領夫人は、＿＿ ＿＿ ＿＿ ＿＿ お金を使ったそうだ。

1　ごとく　　2　派手　　3　好きで　　4　湯水の

⑦ 彼女は ＿＿ ＿＿ ＿＿ ＿＿ うらやましがられるのは当然だろう。

1　美人の上に　　2　お金持ちと　　3　みんなに　　4　きているから

（答えは p.85）

81 ページの答え：Ⅰ－①a　②a　③b　④a　⑤a
Ⅱ－⑥4→2→3→1　⑦3→4→2→1

４日目　理由のいかんにかかわらず

Q.（　　）に入るのは？
今度の成績（　　）、
落第も考えられます。
によるから
いかんでは
にいたって
落第は
いやだ！

成功するに至った　硬

多くの人の協力を得て、この実験が成功するに至りました。
（＝成功したという状況になりました）
The experiment succeeded due to the support of many people.
得到了多人的帮助，这个实验最终成功了。 많은 사람의 협력을 얻어 이 실험이 성공하기에 이르렀습니다.

> N ／ Vる ［ に 至る ／ に 至って（は／も） ／ に 至らず

今に至ってはもう何もできません。（＝今の状況になってしまったら）
I can't do anything at this late date.
到了如今，已经无计可施。 지금에 이르러서는 아무 것도 할수 없습니다.

手術に至らず、薬だけで治った。（＝手術をするような状況にならないで）
The medication helped me to recover before I reached the stage of needing an operation.
不用手术，光靠药就治好了。 수술까지 가지 않고 약만으로 나았다.

貯金の額に至るまで　硬

会社の面接で、貯金の額に至るまで、いろいろ聞かれた。
（－貯金の額まで）
At the job interview, I was asked about many things, even the amount of my savings.
在公司面试中被问了好多，甚至问到了存款额。
회사 면접에서 저금의 액수에 이르기까지 여러 가지 질문을 받았다.

> （〜から）Nに 至るまで
> ◆「そんなことまで」という気持ちを表す場合もある。

ここでは人間から微生物に至るまで、あらゆる生物の研究が行われている。（＝微生物まで）
Research on all kinds of living things from human beings to microbes is being conducted here.
在这里，从人类到微生物，所有生物的研究都在进行。 여기에서는 인간에서 미생물에 이르기까지 모든 생물의 연구가 행해지고 있다.

検査の結果いかんでは　硬

検査の結果いかんでは、入院もありえます。
（＝結果次第で／結果によっては）
You may have to be hospitalized depending on the result of the exam.
要看检查结果了，有可能会住院。 검사의 결과에 따라서는 입원도 있을 수 있습니다.

> N（の）いかんだ。
> N（の）いかんで（は）
> N（の）いかんによって（は）

来月の業績いかんによっては、閉店することをも考えている。
（＝来月の業績次第で／業績によっては）
Depending on the next month's performance, we may decide to close the shop.
根据下个月的业绩，也在考虑是否停止营业。 다음 달의 업적 여하에 따라서는 폐점도 생각하고 있다.

理由のいかんにかかわらず　硬

理由のいかんにかかわらず、ここに駐車をしてはいけない。
（＝どんな理由であるかは関係なく）
You must not park your car here for any reason.
不论理由如何，这里都不许停车。 이유 여하에 불문하고 여기에 주차해서는 안된다.

> N（の）いかんにかかわらず
> N（の）いかんによらず

この講義は**専攻のいかんにかかわらず**、全員受けてください。（＝専攻が何かに関係なく）
Everyone must take this lecture regardless of his/her major.
不分专业，请所有人员都去听这个讲义。 전공여부에 불문하고 전원 이 강의를 수상하세요.

判断力いかんによらず、18 歳以上であれば選挙権がある。ただし認知症の場合などは問題があるだろう。（＝判断力があるかどうかは関係なく）
Anyone over 18 years old is legally eligible to vote regardless of his/her judgement. However, conditions such as dementia can cause a problem.
不论判断力如何，只要是 18 岁以上就有选举权。不过，如果患有痴呆也许就有问题了。
판난력 여부를 불문하고 18 세 이상이면 선거권이 있다. 단지 치매의 경우 등은 문제가 있을 것이다.

第五週

練習Ⅰ 正しいほうに○をつけなさい。

① 親として情けないことだが、今に（a. いたっては　b. いたるまで）娘の非行に気づかなかった。

② 理由のいかんに（a. よらず　b. いたるまで）、試験開始後の入室は認めません。

③ 次の試験の成績いかん（a. では　b. によらず）、進級もできなくなるので頑張るように。

④ 今度の面接の結果（a. いかんで　b. にもかかわらず）、合格か不合格かが決まる。

⑤ 昨夜のホテル火災は大惨事に（a. 至って　b. 至らずに）済んだ。

練習Ⅱ 下の語を並べ替えて正しい文を作りなさい。＿＿に数字を書きなさい。

⑥ 高層マンションの建設は ＿＿ ＿＿ ＿＿ ＿＿ に至っている。

1　今日　　2　計画段階　　3　住民の反対で　　4　のまま

⑦ 弁護士から、A社が ＿＿ ＿＿ ＿＿ ＿＿ 経緯についての説明があった。

1　倒産に　　2　努力の　　3　かいなく　　4　至った

（答えは p.87）

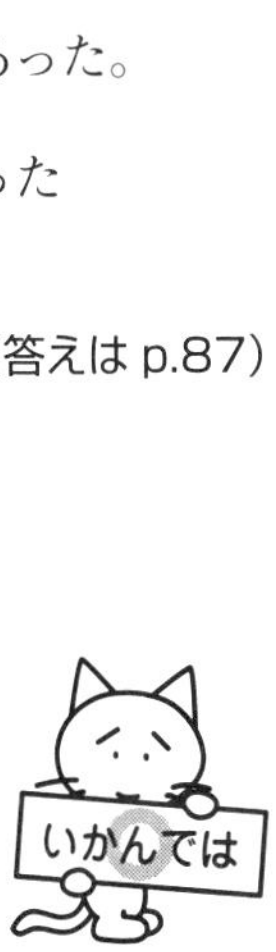

83 ページの答え：	Ⅰ－①a　②b　③b　④b　⑤a
	Ⅱ－⑥2→3→4→1　⑦1→2→4→3

第５週　努力せずにはすまない

5日目　見かけによらず

Q.（　　）に入るのは？
彼らの歌は、日本だけに
（　）、海外でも売れている。
とどまらず
いたって
のみならず
売れて
その歌聞きたい！

見かけ**によらず**

「君は見かけ**によらず**よく食べるね。」（＝見た目には関係なく）

You eat a lot more than we thought you would.

从外表看不出来，你还挺能吃的。　너는 보기와 달리 잘 먹는구나.

> Nに よらず

職種**によらず**、賃金**によらず**、仕事があれば何でもやります。
（＝職種や賃金に関係なく）

I'll take any kind of job regardless of the pay.

不论职业种类，不管工资，只要有工作，什么都做。　직종도 불문하고 임금도 불문하고, 일이 있으면 뭐든지 하겠습니다.

この学習書は、レベル**によらず**、役に立つので買ったほうがいいでしょう。（＝レベルには関係なく）

You'd better buy this study book regardless of your level, since it is very useful.

这个学习用书不论水平高低都会有用，最好还是买了。 이 학습서는 레벨에 관계 없이 도움이 되기 때문에 사는 편이 좋겠습니다.

輸入業者**にとどまらず**　硬

円高の影響は、輸入業者**にとどまらず**、一般家庭に**も**及んでいる。
（＝輸入業者だけでなく／輸入業者のみならず）

> Nに とどまらず(～も)
> Vるに とどまらず(～も)

A strong yen is affecting not only the import traders but general households.

日元升值的影响不仅限于进口行业，还波及到一般家庭。 엔고의 영향은 수입 업자뿐만 아니라 일반 가정에도 미치고 있다.

A社は、材料の偽装**にとどまらず**、食品の消費期限の改ざん**も**行っていた。
（＝材料の偽装だけでなく／材料の偽装のみならず）

Company A was not only cheating on the ingredients used for their products but also putting incorrect "consume by" dates on them.

A公司不仅伪装材料，甚至篡改食品的保质期。 A 사는 재료의 위장뿐만 아니라 식품의 소비기한의 개산(소비기한을 늘려 놓음)도 했다.

彼はそのレストランで、文句を言う**にとどまらず**、テーブルをひっくり返してしまった。
（＝文句を言うだけでなく／文句を言うのみならず）

He not only complained to the restaurant, he flipped the table.

他在那家餐馆，不光是大发牢骚，还把桌子掀翻了。 그 사람은 그 레스토랑에서 불평을 말하는 것에그치지 않고 테이블을 뒤엎어 버렸다.

空の青と相まって　硬

空の青と相まって、紅葉がより美しく見える。（＝空の青色と一緒になって）
The fall colours look more beautiful with the blue sky.
和蓝天相映照，红叶看上去更美了。 하늘의 파랑과 어울려 단풍이 보다 아름답게 보인다.

努力と運が相まって、合格することができた。（＝努力と運が一緒になって）
I was able to pass the exam due to both effort and luck.
努力再加上运气，总算合格了。 노력과 운이 합쳐져 합격할 수 있었다.

この冷蔵庫は**デザインのよさも相まって**よく売れている。（＝ほかの理由とデザインのよさが一緒になって）
This fridge model is selling well due to its performance and design.
这种冰箱再加上美观的设计，销路很好。 이 냉장고는 좋은 디자인과 더불어 잘 팔리고 있다.

> Nと相まって
> Nも相まって

第五週

練習Ⅰ 正しいほうに○をつけなさい。

① その歌手の人気は日本だけ（a. にとどまらず　b. によらずに）、アジアの国々にも広まった。

② 昨日は休日と久しぶりの晴天が（a. にとどまらず　b. あいまって）、遊園地はとても混んでいた。

③ 株の暴落はその年だけに（a. とどまらず　b. よらず）年が明けても続いた。

④ あの映画は主題歌の人気と（a. とどまらず　b. 相まって ）大ヒットした。

⑤ 駅前のそば屋は、古くてみすぼらしい外観（a. によらず　b. でよらず）おいしいと評判だ。

練習Ⅱ 下の語を並べ替えて正しい文を作りなさい。＿＿に数字を書きなさい。

⑥ ＿＿＿　＿＿＿　＿＿＿　＿＿＿ の回復は困難だと言われている。

1　個人消費　　2　落ち込んだ　　3　不景気が相まって　4　消費税のアップと

⑦ ＿＿＿　＿＿＿　＿＿＿　＿＿＿ までカットされることになり、ショックだ。

1　給料　　2　ボーナス　　3　がなしになる　　4　にとどまらず

（答えは p.89）

85 ページの答え：　Ⅰ－①b　②a　③a　④a　⑤b
Ⅱ－⑥3→2→4→1　⑦2→3→1→4

第５週　努力せずにはすまない

６日目　ここに駐車(ちゅうしゃ)するべからず

Q.（　　）に入るのは？
彼(かれ)は医師(いし)に（　　）、医学部(いがくぶ)への進学(しんがく)を考えている。
なるべからず
なるべき
なるべく
なりたい

親(おや)の期待(きたい)に応(こた)える**べく**　硬

親の期待に応える**べく**、努力(どりょく)して医者の道に進んだ。
（＝親の期待に応えようとして）

I studied hard and became a doctor because of my parents' wishes.
为了不辜负父母的期待，在努力成为一名医生。 부모의 기대에 부응하려 노력하여 의사의 길로 나아갔다.

彼(かれ)はよい席(せき)を手に入れる**べく**、２時間も前から並(なら)んでいた。（＝手に入(い)れようとして）
He lined up for two hours to get a good seat.
为了能买到好的座位，提前 2 个小时排队。 그 사람은 좋은 자리를 손에 넣으려고 2 시간이나 전부터 줄서 있었다.

> Vる**べく**
> ❗ する→するべく／すべく

望(のぞ)む**べくもない**　硬

祖父(そふ)の病状(びょうじょう)は悪くなるばかりだ。回復(かいふく)はもう望む**べくもない**。
（＝望むことは考えられない）

My grandfather's condition is deteriorating. We can't expect him to recover at this point.
祖父的病情不断恶化。恢复已经无望。 할아버지의 병상태는 나빠지기만 한다. 회복은 이제 바랄 수 없다.

ビートルズとは比(くら)べる**べくもない**が、彼(かれ)らは日本ではかなり有名なバンドです。
（＝比べることはできないが）

Their band is quite famous in Japan although they don't really compare with the Beatles.
虽然和甲壳虫乐队没法比，但他们在日本也是相当有名的乐队。 비틀즈와는 비교할 수 없지만 그들은 일본에서는 꽤 유명한 밴드입니다.

> Vる**べくもない**
> ❗ する→するべく／すべく

ここに駐車(ちゅうしゃ)する**べからず**　硬

ここに駐車する**べからず**。（＝駐車するな）

No parking!　这里不许停车。 여기에 주차하지 마시오.

芝生(しばふ)に入る**べからず**。（＝入るな）
Keep off the grass!　不许进入草地。 잔디에 들어 가지 마시오.

ビル内(ない)でたばこを吸(す)う**べからず**。（＝吸うな）
No smoking inside the building!　在楼内不许吸烟。 빌딩 안에서 담배를 피우지 마시오.

◎ 初心(しょしん)、忘(わす)る**べからず**。（＝忘れるな）＊「忘(わす)る」:「忘(わす)れる」の古い形(かたち)。
You should always remember your original reason for doing the things you have chosen to do.　勿忘初衷。 초심, 잊지 마시오.

> Vる**べからず**
> ◆看板(かんばん)や掲示(けいじ)の禁止事項(きんしじこう)に使われる。

許すべからざる行為　**硬**

学生を脅迫してお金をゆするとは、教師として許す**べからざる**行為である。
（＝絶対に許してはいけない）

Vるべからざる N

You blackmailed students. That was an unpardonable act as a teacher.
竟然逼迫学生勒索钱财，是作为老师决不能允许的行为。　학생을 협박해서 돈을 뜯다니, 교사로서 용서할 수 없는 행위이다.

彼は、わがチームには欠く**べからざる**選手である。（＝絶対に欠いてはいけない）
He is an indispensable member of our team.
他是我们队不可缺少的选手。　그는 우리 팀에는 없어서는 안될 선수이다.

練習Ⅰ　正しいほうに○をつけなさい。

① 妻は職場に復帰（a. すべく　b. すべからず）、1歳になる子どもの預け先を探している。

② 人殺しの道具を作るなど許す（a. べからず　b. べからざる）ことだ。

③「芝生に入る（a. べきだ　b. べからず）。」という立て札が立ててあった。

④ 戦争での体験は、だれにとっても忘る（a. べからざる　b. べく）悲惨な出来事だ。

⑤ 日本語能力試験のＮ１に合格する（a. べくもなく　b. べく）日夜勉強をしています。

練習Ⅱ　下の語を並べ替えて正しい文を作りなさい。＿＿に数字を書きなさい。

⑥ 今、夏なのに雪が降るといった ＿＿ ＿＿ ＿＿ ＿＿ ある。

1　あるべからざる　　2　起こっている　　3　現象が　　4　地域が

⑦ ＿＿ ＿＿ ＿＿ ＿＿ 、試験に合格した。

1　懸命に続けた　　2　努力が実り　　3　弁護士　　4　になるべく

（答えは p.92）

第五週

87ページの答え：　Ⅰ－①a　②b　③a　④b　⑤a
Ⅱ－⑥4→3→2→1　⑦2→3→4→1

７日目　実戦問題

制限時間：15分
1問4点×25問

点数
／100

答えは別冊 p.4～5

問題１　次の文の（　）に入れるのに最も良いものを、１・２・３・４から一つ選びなさい。

1　大学に合格したことを知らせたときの両親の（　　　）は、想像以上のものだった。

1　喜びそう　　2　喜びよう　　3　喜びいかん　　4　喜びなり

2　このホテルのバイキングは、すし、ステーキからラーメン（　　　）、あらゆる料理がそろっている。

1　と相まって　　2　ごとくまで　　3　に至るまで　　4　に至らず

3　その記事を読んだとき、なんともたとえ（　　　）恐ろしさに襲われた。

1　と相まった　　2　に至るような　　3　ようのない　　4　そうもない

4　彼女は美人の上にお金持ち（　　　）ので、とてもうらやましい。

1　といっている　　2　となっている　　3　としている　　4　ときている

5　うちの息子は、見かけ（　　　）繊細な神経をしています。

1　によらず　　2　ともなく　　3　いかんで　　4　ときたら

6　それは（　　　）忘れられない出来事だった。

1　忘れるごとく　　2　忘れるべく　　3　忘れようにも　　4　忘れそうにも

7　友人が掃除機を譲ってくれたので、（　　　）よかった。

1　買わずに至って　　2　買わずにすんで　　3　買うに至らず　　4　買うにとどまらず

8　先生なんだから、「わからない」（　　　）でしょう。

1　ではすまない　　2　ではおかない　　3　にはすまない　　4　にはおかない

9　税金は（　　　）ものだ。

1　払わずにおかない　　2　払わずわけにはいかない
3　払わずにはすまない　　4　払わないにはいかない

10　リフォームをしただけだが、（　　　）見違えるような家になった。

1　建て直すべからず　　2　建て直しようがなく
3　建て直したときて　　4　建て直したかのごとく

11 危険！ この橋は渡る（　　　）！

1 べからず　2 べからざる　3 べくもなし　4 べくもせず

12 その学生のスピーチは聞く者に感動を（　　　）。

1 与えようにも与えなかった
2 与えずにすんだ
3 与えるべくもなかった
4 与えずにはおかなかった

13 彼が日本を代表する作家であることは（　　　）。

1 疑うべくもない
2 疑うにおかない
3 疑うようもない
4 疑わないまでだ

14 晴天と相まって、この休みは（　　　）。

1 映画館はすいているに違いない
2 花見をする人が多かった
3 秋は紅葉に限る
4 花火をおいてほかない

15 結果のいかんにかかわらず、（　　　）。

1 努力のしようにもできないことだろう
2 努力することに至るだろう
3 ありえないくらい評価が悪かった
4 ベストを尽くしたことは評価すべきだ

第五週

問題2 次の文の＿★＿に入る最もよいものを、１・２・３・４から一つ選びなさい。

16 近頃の ＿＿ ＿＿ ＿★＿ ＿＿ が多い。

1 ろくに　2 ときたら　3 若い連中　4 挨拶（あいさつ）もできない者

17 保険金の支給に ＿＿ ＿＿ ＿★＿ ＿＿ 流れをきちんと把握しておきましょう。

1 様々な手続きがあるので　2 までは　3 至る　4 その

18 私は ＿＿ ＿＿ ＿★＿ ＿＿ と説教されることがある。

1 働かざる者　2 定職につかずに　3 食うべからず　4 いるので

19 おいしいものを食べる ＿＿ ＿＿ ＿★＿ ＿＿ 3時間も待つとは理解できない。

1 ラーメン　2 べく　3 ごときで　4 並ぶのはわかるが

20 パーティー会場は、＿＿ ＿＿ ＿★＿ ＿＿ だった。

1 にも　2 入れないほど　3 超満員　4 中に入ろう

問題3 次の文章を読んで、[21]から[25]の中に入る最もよいものを、1・2・3・4から一つ選びなさい。

世界のトミタ、リコールへ

本日、トミタは人気車種「プローラ」のリコールを発表した。「プローラ」は日本国内[21]世界35か国で販売されており、その販売総数は50万台にものぼる。この販売台数の多さに対し、その修理にかかる要員は不足しており、リコール(注)のすべてをすぐには対応[22]のが実情のようだ。

トミタはこのまれに見る経済不況の中、地道な努力を積み重ねて、昨年ようやく世界一の販売額を達成する[23]だけに、失望も大きい。しかも、今回の問題の発覚には、度重なる消費者からの苦情に応えてこなかったという経緯もあり、これからの対応[24]、販売額の減少[25]問題に発展しそうだ。

(注) リコール…販売された製品を回収・修理すること

21	1 にあるごとく	2 によらず	3 にとどまらず	4 にかかわらず
22	1 できそうもない	2 できないでおく	3 できずにすむ	4 できるべくもない
23	1 ごとくの	2 ときた	3 べからず	4 に至った
24	1 いかんでは	2 ときたら	3 ごとく	4 によらず
25	1 にはおかない	2 にはすまない	3 だけにすむ	4 だけではすまない

接続詞①

✤ **ゆえに**(＝こういう理由で／だから／したがって) ＊論理的

この三角形のすべての角度は60度である。**ゆえに**この三角形は正三角形である。

✤ **それゆえ**(＝そのようなわけだから／ゆえに)

最近、自転車の事故が多発している。**それゆえ**、自転車での登校を禁止する。

✤ **しかしながら**(＝そうではあるが、しかし) ＊「しかし」の硬い言い方

そのアイデアはよい。**しかしながら**実現は難しいだろう。

✤ **ちなみに**(＝ついでに言えば) ＊補足するときなどに使う

犬の鳴き声の表現は国によって違います。

ちなみに日本では「ワンワン」です。

前の文と
後ろの文との
関係をよく考えましょう。

89ページの答え： Ⅰ－①a ②b ③b ④a ⑤b
Ⅱ－⑥1→3→2→4 ⑦3→4→1→2

第6週

以前にも増して努力している

今週の表現

一日目
- □世界に先駆けて
- □以前にもまして
- □おとなしい姉にひきかえ、妹は…
- □現状に即して

二日目
- □冗談のつもりで
- □言われるままに
- □言わずとも
- □読まずじまい

三日目
- □涙ながらに
- □狭いながらも
- □外見もさることながら
- □生徒たちの手前

四日目
- □貧しさゆえに
- □お金をもうけんがために
- □あふれんばかりになっている
- □うれしいとばかりに

五日目
- □彼女をおいてほかにない
- □親の心配をよそに
- □20年の時を経て
- □趣味と実益を兼ねて

六日目
- □結果を踏まえて
- □結婚を前提として
- □オリンピックを境に
- □来日の折に
- □引っ越しを機に

第６週　以前にも増して努力している

1日目　現状(げんじょう)に即(そく)して

世界に先駆(さきが)けて

その映画は、**世界に先駆けて**、日本での上映(じょうえい)が決まった。
（＝世界で一番早く）

> Nに先駆けて

It's been decided that the world premiere for the movie will be in Japan.
那部电影决定率先在日本上映，比世界其他国家早一步。 그 영화는 세계에서 가장 먼저 일본에서의 상영이 정해졌다.

その会社は、**他社(たしゃ)に先駆けて**、低燃費(ていねんぴ)の車を開発(かいはつ)した。（＝他社よりも早く）
The company has been at the forefront of developing fuel-efficient cars.
那家公司领先其他公司开发了耗油低的汽车。 그 회사는 타사에 앞서 저연비 자동차를 개발했다.

以前(いぜん)にもまして　《増(ま)して》

久(ひさ)しぶりに会った彼女(かのじょ)は、**以前(いぜん)にもまして**美(うつく)しかった。
（＝以前も美しかったが、以前よりもっと）

> Nにもまして
> ◎ だれにもまして（＝だれよりも）
> ◎ 何にもまして（＝なによりも）
> ◎ どこにもまして（＝どこよりも）

I saw her for the first time after a long time. She looked more beautiful than ever.
好久未见的她，比以前更漂亮了。 오랫만에 만난 그녀는 이전보다 더욱 아름다워졌다.

今日は平日(へいじつ)なのに、**いつにもまして**お客(きゃく)さんが多い。
（＝いつも多いが、いつもよりもっと）

There are more customers today even though it is a weekday.
今天虽然不是周末，但客人比平日都要多。 오늘은 평일인데, 보통 때보다 더욱 손님이 많다.

おとなしい姉にひきかえ、妹は…

おとなしく引(ひ)っ込(こ)み思案(じあん)な**姉にひきかえ**、妹のほうは社交的(しゃこうてき)で友達(ともだち)も多い。（＝姉と比(くら)べ、違(ちが)って）

> N_1にひきかえN_2は

In contrast to her quiet and reserved elder sister, the younger one is more social and has more friends.
和老实内向的姐姐相反，妹妹善于社交，朋友也多。 얌전하고 소극적인 언니에 비해 동생 쪽은 사교적이고 친구도 많다.

隣(となり)の立派(りっぱ)な家にひきかえ、うちの家は古くてみすぼらしい。（＝隣の立派な家と比べて、違って）
Our house looks old and shabby in comparison to our neighbor's nice house.
和邻居家的气派房子相反，我家的房子又陈旧又寒酸。 옆의 훌륭한 집에 비해 우리집은 낡고 초라하다.

現状に即して　硬

<u>現状に即して</u>物事を考えよう。（＝現状にちょうど合うように）

Let's consider things in line with the current circumstances.
根据现状考虑事情吧。 현상에 맞게 사물을 생각하자.

銀行も、<u>時代に即した</u>新しいサービスを提供しなければならない。
（＝時代にちょうど合った）

Banks must offer new services to meet the demands of the times.
银行也必须提供顺应时代的新服务。 은행도 시대에 맞는 새로운 서비스를 제공하지 않으면 안된다.

Nに即してV
Nに即したN'

れい　現実に即して
実態に即して
事実に即して
法律に即して

練習Ⅰ　正しいほうに○をつけなさい。

① 去年の夏も雨が少なかったけれど、今年の水不足は去年（a. にもまして　b. に即して）深刻だ。

② CDの発売に（a. 先駆けて　b. 即して）、そのアーチストのコンサートが開かれた。

③ 音楽祭でのあの女性歌手の衣装は前回（a. に先駆けて　b. にもまして）派手になっていた。

④ 友人の息子の優秀なの（a. にひきかえ　b. にもまして）、なんとうちの子の出来の悪いことか。

⑤ 時代（a. にひきかえた　b. にそくした）考え方をしないと若者には受け入れられない。

練習Ⅱ　下の語を並べ替えて正しい文を作りなさい。＿＿に数字を書きなさい。

⑥ これは ＿＿ ＿＿ ＿＿ ＿＿ でお届けする商品です。

1　に先駆けて　　2　当店のみの　　3　先行発売　　4　全国発売

⑦ ＿＿ ＿＿ ＿＿ ＿＿ 困る。

1　いいかげんで　　2　ひきかえ　　3　弟のほうは　　4　しっかり者の兄に

（答えは p.97）

第６週　以前にも増して努力している

2日目　冗談(じょうだん)のつもりで

Q.（　　）に入るのは？
店員に勧(すす)められる（　　）、
高いバッグを買ってしまった。
ままに
ように
ついでに
店員が
かわいかった
からなぁ…

冗談(じょうだん)のつもりで

冗談のつもりで言ったのに、本気(ほんき)にされてしまった。
（＝冗談という気持(きも)ちで）

I was only joking but what I said was taken very seriously.
虽然是当作玩笑话说的，对方却当真了。 농담할 생각으로 말했는데 , 진담으로 받아들여졌다 .

カラオケでは、いつも歌手(かしゅ)になったつもりで歌(うた)っている。
（＝歌手になったという気持ちで）

I feel like a professional singer whenever I sing at a karaoke bar.
唱卡拉 OK 的时候，总是把自己当成歌手唱歌。 가라오케에서는 항상 가수가 된 기분으로 노래하고 있다 .

自分では若(わか)いつもりだが、年には勝(か)てません。（＝若いという気持ちだが）

I think I'm young at heart but I really can't fight my age.
尽管自己还觉得年轻，可年龄不饶人呀。 스스로는 젊다고 생각하지만 , 나이에는 이길 수 없습니다 .

Vる/Vた
Aい
naな
Nの
→ つもりで／つもりだ

◆「事実(じじつ)は違(ちが)う」という意味。

言われるままに

契約(けいやく)のとき、言われるままにハンコを押(お)している人が多い。
（＝言われる通りに）

Lots of people put their seals on contracts without reviewing them well.
签约的时候，完全按对方所说的就签字盖章的人很多。 계약 할 때 듣는대로 도장을 찍는 사람이 많다 .

ゆうべは同僚(どうりょう)に誘(さそ)われるままに飲みに行った。（＝誘われて、断(ことわ)ることもしないで）
Persuaded by my colleagues, I went drinking with them.
昨晚被同事邀请去喝酒了。 어젯 저녁은 동료가 권하는 대로 마시러 갔다 .

あなたが思うまま、話してください。（＝思うとおりに）

Please say what you think. 就按你想的说吧。 당신이 생각하는 대로 말해 주세요 .

Vる（が）まま（に）

◆「Vられるが（まま）」はほかの人の意志(いし)のとおりという意味。

言わずとも　硬

彼(かれ)があなたのことを好きだということは、言わずともわかる。
（＝言わなくても）

It is obvious that he is in love with you.
他喜欢你，这事不说也明白。 그 사람이 당신을 좋아한다는 것은 말하지않아도 안다 .

V~~ない~~ずとも
❗ しない→せず

読まずじまい

英語の本をたくさん買ったが、ほとんど読まずじまいだ。

（＝読まないままだ）

I bought many English books but I haven't touched most of them.
买了好多英语书，但几乎都没有读。영어책을 많이 샀지만 거의 읽지 않은 채로 있다.

5着も試着したが、どれも気に入らず、買わずじまいで店を出た。

（＝買おうと思っていたけれど結局は買わないで）

I came out of the shop without buying anything because, even though I tried on five different dresses, nothing pleased me. 试穿了5件衣服，都不喜欢，结果什么都没买就出了店。
5벌이나 시착을 했지만 어느 것도 마음에 들지 않아 사지 않고 가게를 나왔다.

V ~~ない~~ ずじまい

! しない→せず

れい 会わずじまい
行かずじまい
せずじまい
買えずじまい

◆ 残念な気持ち。

練習Ⅰ 正しいほうに○をつけなさい。

① 忙しかったので、あとでお昼を食べようと思っていたが、結局、食べず（a. まま　b. じまい）で、夕食の時間になった。

② 感想を思う（a. ままに　b. つもりで）アンケートに書いてください。

③ 彼は目が見えず（a. とも　b. じまいで）すばらしい演奏をして、観客に感動を与えた。

④ 店員に勧められる（a. つもりで　b. ままに）、高いテレビを買ってしまった。

⑤ 待ち合わせ場所を間違えたらしく、結局彼女とは（a. 会えず　b. 会えない）じまいだった。

練習Ⅱ 下の語を並べ替えて正しい文を作りなさい。＿＿に数字を書きなさい。

⑥ 検査の結果を医師にもう少し詳しく ＿＿ ＿＿ ＿＿ ＿＿ 診察室を後にした。

1 促されるまま　2 と思いながらも　3 看護師に　4 聞こう

⑦ ＿＿ ＿＿ ＿＿ ＿＿ 飲みに来てしまった。

1 早く帰るつもりで　2 いたのに　3 誘われるまま　4 今日こそは

（答えは p.99）

95ページの答え：Ⅰ－①a ②a ③b ④a ⑤b
Ⅱ－⑥4→1→2→3 ⑦4→2→3→1

3日目　狭いながらも

Q.（　　）に入るのは？
自分で作ると（　　）、
作らないわけにはいかない。
言った手前
言いながらも
言うままに
言ってないし

涙ながらに　硬

彼女は**涙ながらに**真実を訴えた。（＝涙を流しながら）
She explained in tears what actually had happened.
她流着眼泪叙述真实情况。 그녀는 눈물을 흘리며 진실을 호소했다.

コンピューターのおかげで、**家にいながら(にして)**世界の情報を知ることができる。（＝家にいる状態で）
Thanks to computers, we can get all the information in the world while staying at home.
多亏有电脑，即使在家里也能知道世界的信息。
컴퓨터 덕분에 집에서 세계의 정보를 알 수 있다.

その店は、**昔ながらの**製法で豆腐を作っている。（＝昔のままの）
The shop makes tofu using traditional methods.
那家店还用以前的制作方法做豆腐。그 가게는 옛날 그대로의 제조법으로 두부를 만들고 있다.

N / na / Aい / V~~ます~~	ながらに / ながらのN

◎ 生まれ**ながらにして**（＝生まれたときから）

狭いながらも　硬

自分の家は**狭いながらも**落ち着く。（＝狭いけれど）
I find my home comfortable although it is small.
自己的家虽然狭小，但待着踏实。 자기 집은 좁아도 안정이 된다.

彼は**学生の身分でありながら**、高級車を乗り回している。
（＝学生という身分なのに）
Although he is a student, he drives around in an expensive car.
他虽然还是个学生，却开着高级轿车四处转。그는 학생신분이면서 고급차를 타고 있다.

N / na / Aい / V~~ます~~	ながら / ながらも

◎ 残念**ながら**　◎今さら**ながら**
◎ 恥ずかし**ながら**　◎及ばず**ながら**
◎ 敵**ながら**あっぱれ
◎ 勝手**ながら**～させていただきます。

外見もさることながら　硬

彼女は**外見もさることながら性格も**とてもいい。（＝外見ももちろんいいが）
She looks very nice and her personality is so nice as well.
她的外貌就不用说了，连性格也非常好。 그녀는 외견도 물론이거니와 성격도 무척 좋다.

N_1**もさることながら**N_2**も**

最近、忙しすぎて、**疲労もさることながら**、ストレス**も**ピークに達している。
（＝もちろん疲労が激しいが）
I'm so busy these days that feel very tired. Moreover my stress level has reached its peak.
最近太忙了，疲劳就不用说了，压力也达到了顶点。요즘 너무 바빠서 피로한 것은 물론이거니와 스트레스도 피크에 달해 있다.

生徒たちの手前

生徒たちの手前、この言葉を知らないとは言えない。
（＝生徒たちの前で、教師という自分の立場として）

I can't admit that I don't know the word in the presence of my students.
顾及到在学生面前的面子，说不出自己不认识这个词。 학생들의 앞에서 , 이 말을 모른다고는말할 수 없다 .

Nの手前
V普手前

必ず行くと言った手前、休むわけにはいかない。（＝必ず行くと言ったから、自分の立場として）
I can't afford not to go since I already have told them that I would go.
既然都说肯定会去的，不好意思再休息。 반드시 간다고 말한 체면상 , 쉴 수는 없다 .

練習Ⅰ 正しいほうに○をつけなさい。

① 人は外見より中身が重要であると（a. 思いながらも　b. 思いながらに）、つい外見のよさに目を奪われてしまう。

② この映画は話の内容（a. の手前　b. もさることながら）映像の美しさも評判がいい。

③ 彼は転びそうになり（a. ながらも　b. ながらに）急斜面をスキーで滑り降りた。

④ 約束した（a. 手前　b. ながらに）、たとえ雪が降っても行かないわけにはいかない。

⑤ ８歳になる息子が子ども（a. ながらに　b. の手前）一生懸命お金を貯めて買ってくれた誕生日プレゼントは、一生の宝物だ。

練習Ⅱ 下の語を並べ替えて正しい文を作りなさい。＿＿に数字を書きなさい。

⑥ 日本チームは ＿＿ ＿＿ ＿＿ ＿＿ 手に入れることができた。

1　かろうじて　　2　しながらも　　3　銅メダルを　　4　苦戦

⑦ 彼のスピーチは、＿＿ ＿＿ ＿＿ ＿＿ おかなかった。

1　表現力や迫力があり　　2　聞く者を
3　内容もさることながら　　4　感動させずには

（答えは p.101）

97ページの答え：Ⅰ－①b　②a　③a　④b　⑤a
Ⅱ－⑥4→2→3→1　⑦4→1→2→3

4日目　貧(まず)しさゆえに

Q.（　　）に入るのは？
彼女(かのじょ)は、つまらないと（　　）ばかりに途中(とちゅう)で映画館を出て行った。
言わん
言えず
言わず
らしい

貧(まず)しさ**ゆえに**　硬

貧しさ**ゆえに**、彼(かれ)は盗(ぬす)みを働いた。（＝貧しいという理由(りゆう)で）
He stole things only because he was so poor.
因为穷，他才去偷盗。 가난한 탓에 그는 도둑질을 했다.

日本語を知らなかった**がゆえに**、誤解(ごかい)された。
（＝知らなかっただけの理由で）
I was misunderstood because I couldn't speak Japanese.
因为不懂日语，被误解了。 일본어를 몰랐던 탓에 오해받았다.

有名人**ゆえの**悩(なや)みがある。（＝有名人であるための）
Due to their fame, well known people have their share of troubles.　因为是名人而带来的烦恼。 유명인이기 때문에 고민이 있다.

V/A/na/N普
❗ N~~だ~~（である）
na~~だ~~（である）
→ **(が)ゆえ(に)** / **(が)ゆえのN'**

れい　有名人である**(が)ゆえの**
貧しい**(が)ゆえに**
貧乏(びんぼう)であった**(が)ゆえに**

お金をもうけ**んがために**　硬

彼(かれ)はお金をもうけ**んがために**、ずいぶんひどいことをやってきた。
（＝もうけるために）
He has done a lot of terrible things in order to make money.
他为了挣钱，干了许多恶劣的事情。 그는 돈을 벌기 위해 무척 힘든 일을해왔다.

一人の青年(せいねん)がおぼれている子どもを救(すく)わ**んがために**、川に飛(と)び込(こ)んだ。（＝救うために）
A young man jumped into the river in order to save a drowning child.
一位年轻人为了救溺水的孩子，跳到了河里。 한사람의 청년이 물에 빠진 아이를 구하기 위해 강으로 뛰어 들었다.

V~~ない~~**んが**
❗ しない→せん**が**
→ **ために** / **ためのN'**
◆強い意志(いし)を表(あらわ)す。

あふれ**んばかりに**なっている

川の水があふれ**んばかりに**なっている。（＝今にもあふれそうな状態(じょうたい)に）
The river is about to flood.　河水几乎要溢出来。 강물이 (금방이라도) 넘칠 것 같다.

彼女(かのじょ)は泣(な)き出さ**んばかりの**顔をして、私に助(たす)けを求(もと)めてきた。
（＝今にも泣きだしそうな顔）
She came to me for help with a desperate look on her face.
她来向我求助，那表情几乎要哭出来。 그녀는 울 것 같은 얼굴을 하고 나에게 도움을 청해 왔다.

V~~ない~~**ん**
❗ しない→せん
→ **ばかりに** / **ばかりのN'**
◎ 割(わ)れ**んばかりの**拍手(はくしゅ)
◎ あふれ**んばかりの**笑顔(えがお)
◎ 胸(むね)がはりさけ**んばかりに**

うれしいとばかりに

その子はうれしいとばかりに、飛び上がった。（＝本当にうれしい様子で）

The child jumped up and down with joy.

那孩子满面欢喜地跳了起来。그 아이는 기쁜 듯이 뛰어 올랐다.

彼は試験中、あきらめたとばかりに鉛筆を投げ出した。
（＝あきらめた様子で）

He threw his pencil down during the exam as if he had given up.

他在考试的时候扔掉了铅笔，似乎在说已经放弃了。그는 시험중에 포기한 듯이 연필을 던졌다.

> [文]と ［（言わん）ばかりに
> 　　　　 （言わん）ばかりのN
>
> ◆言葉では言わないがそのような様子で。
>
> ◆N＝表情、様子、調子、態度、口調、顔、目つき など

彼女は「いやだ」と言わんばかりに、首を振った。（＝「いやだ」と口では言わないが、そのような様子で）

She shook her head as if to say “No”.

她摇着头，就差说出“不愿意”了。그녀는「싫다」는 듯이 고개를 흔들었다.

◎ ここぞとばかりに、……（＝今、この時を逃してはいけないという様子で）

in order not to lose this opportunity　像是要说“时不再来”　여기에서야말로라는 듯이

練習Ⅰ 正しいほうに○をつけなさい。

① 心を込めて作った料理なのに、子どもたちはまずい（a. とばかりに　b. ばかりか）顔をゆがめた。

② うちの犬は僕を見ると（a. 飛びついたと　b. 飛びつかん）ばかりの勢いで走ってきた。

③ 彼女は疲れた（a. とばかりに　b. ゆえに）、部屋に入るなりベッドに倒れ込んだ。

④ 彼は技術を極めん（a. がために　b. ばかりに）夜も眠らずに努力している。

⑤ その病気に関する人々の知識のなさ（a. ゆえに　b. とばかりに）、彼らは迫害された。

練習Ⅱ 下の語を並べ替えて正しい文を作りなさい。＿＿に数字を書きなさい。

⑥ その国の ＿＿ ＿＿ ＿＿ ＿＿ 接し、私の人生観は変わった。

1　笑顔に　　2　子どもたちに　　3　満ちた　　4　あふれんばかりの

⑦ 彼は重い罪を犯したが、事件当時、判断力が ＿＿ ＿＿ ＿＿ ＿＿ 、社会に復帰することができた。

1　未熟　　2　がゆえ　　3　とされる　　4　未成年者であった

（答えは p.103）

99ページの答え：　Ⅰ－①a　②b　③a　④a　⑤a
Ⅱ－⑥4→2→1→3　⑦3→1→2→4

第六週

5日目　趣味と実益を兼ねて

Q.（　　）に入るのは？
息子は親の（　　）、高校をやめて働き出した。
反対をよそに
反対を経て
反対をおいて
反対に反対して

彼女をおいてほかにない

彼女をおいてほかにその仕事ができる人はい**ない**。

（＝彼女以外には）

> Nをおいて（ほかに）Vない

She is the only one who can do the job.
除了她没有人能胜任那项工作。 그녀 외에는 달리 그 일을 할 수 있는 사람은 없다.

進学するなら、**A大学をおいてほかに**考えられ**ない**。（＝A大学以外には）
A is the only university I would consider going to.
如果考大学的话，除了A大学别的都无法考虑。 진학한다면 A대학 이외에는 달리 생각할 수가 없다.

親の心配をよそに

親の心配をよそに、彼女は一人旅に出かけた。

（＝親が心配しているということを気にしないで）

> Nをよそに
>
> れい 親の反対をよそに
> 住民の不安をよそに
> 周囲の期待をよそに
> 反対の声をよそに
> ○○が苦しんでいるのをよそに

She went on a trip alone not caring for how worried her parents were.
她不顾父母的担心，一个人出去旅行了。
부모의 걱정을 아랑곳하지 않고 그녀는 혼자 여행에 나섰다.

外食産業が**不景気なのをよそに**、そのレストランはいつもにぎわっている。（＝不景気なのと関係なく）
The food service is always packed despite the slump in the restaurant industry.
虽然餐饮行业不景气，但那家餐馆总是客人拥挤。
외식산업이 불경기인 것과 상관 없이 그 레스토랑은 항상 붐비고 있다.

20年の時を経て

20年の時を経て、伝説のバンドが復活する。

（＝20年という時がたって）

> Nを経て
>
> ◆N＝時、場所、過程、経験など

The legendary music group is coming back after twenty years of absence.
经过了20年的时光，传说中的乐队复出了。 20년의 세월을 지나, 전설의 밴드가 부활한다.

その選手は、**オリンピックを経て**、急激に力をつけてきた。（＝オリンピックを経験して）
This athlete has improved rapidly after taking part in the Olympics.
那位选手经过奥运会后实力迅速提升。 그 선수는 올림픽을 거쳐 갑자기 실력이 늘어났다.

複雑な手続きを経て、証明書が発行された。（＝複雑な手続きをした後に）
A certificate was issued following a very complicated process.
经过了复杂的手续，才下发了证明文件。 복잡한 수속을 거쳐 증명서가 발행되었다.

趣味と実益を兼ねて

私は**趣味と実益を兼ねて**イラストを描いています。

（＝趣味と実益の両方の目的で）

I draw illustrations professionally and as a hobby.
我画插图兼顾兴趣和实际利益。 나는 취미와 실력을 겸해 일러스트를 그리고 있습니다.

> (N'と) Nを兼ねて
> Nも兼ねて

英語の勉強も兼ねて、1ヵ月ほどアメリカを旅行してきます。（＝英語の勉強も目的として）

I will travel to the USA and study English for a month.
兼带学习英语，在美国旅行了 1 个月左右。 영어공부를 겸해 한 달정도 미국을 여행하고 오겠습니다.

練習 I 正しいほうに○をつけなさい。

① この仕事（a. をおいて　b. をよそに）、彼にふさわしい仕事はほかにないでしょう。

② 彼女は自分の失敗（a. をおいて　b. をよそに）、他人の批判ばかりしている。

③ 観光を（a. かねて　b. 経て）オーストラリアへ研修に行った。

④ 近隣の住民の反対を（a. 経て　b. よそに）、高層マンションが建設されてしまった。

⑤ 彼女は結婚、出産を（a. 経て　b. かねて）、また競技に復帰した。

練習 II 下の語を並べ替えて正しい文を作りなさい。＿＿に数字を書きなさい。

⑥ その企業は不景気 ＿＿ ＿＿ ＿＿ ＿＿、売り上げを伸ばしている。

1　をよそに　　2　による　　3　業績の低迷　　4　他社の

⑦ 今年の年賀状は、＿＿ ＿＿ ＿＿ ＿＿、例年より多い数になった。

1　報告も　　2　ゆえに　　3　兼ねていた　　4　引っ越しの

（答えは p.105）

101 ページの答え：I－①a　②b　③a　④a　⑤a
II－⑥4→1→3→2　⑦1→3→4→2

第6週　以前にも増して努力している

6日目　結婚を前提として

Q.（　　）に入るのは？
来日の（　　）、ぜひ我が家へお越しください。
折には
時期には
機には
絶対に行く！

結果を踏まえて　硬

アンケート結果**を踏まえて**、業務を改善したいと思います。
（＝アンケート結果をもとにして）

I would like to improve our business performance based on the results of the survey.
我想根据问卷调查的结果改善业务。 앙케이트 결과에 입각해 업무를 개선하려고 생각합니다.

我が国の問題点を、事実**を踏まえて**説明しなさい。
（＝事実をもとにしながら）

Please explain the problem that our country is facing taking facts into consideration.
请根据事实来说明我国的问题点。 우리나라의 문제점을 사실에 입각해 설명하세요.

> Nを踏まえて
>
> れい　意見を踏まえて
> 経験を踏まえて
> 議論を踏まえて
> 状況を踏まえて
> ○○の話を踏まえて

結婚を前提として

彼とは結婚**を前提として**交際しています。（＝結婚するということを考えて）
I am going out with him with marriage in view.
和他是以结婚为前提在交往。 그와는 결혼을 전제로 교제하고 있습니다.

事故対策は、事故が起こること**を前提に**練られている。
（＝事故が起こるということを考えて）

Accident preventive measures are developed by anticipating possible accidents.
事故对策，是以发生事故为前提而被推敲制定的。 사고 대책은 사고가 일어날 것을 전제로 만들어 지고 있 다.

> Nを前提として
> Nを前提に（して）
> N前提で

オリンピックを境に

我が国はオリンピック**を境に**、急速に発展した。（＝オリンピックの後から）
Our country rapidly developed after the Olympics.
自从奥运会以后，我们国家迅速发展。 우리나라는 올림픽 이후부터 급속히 발전했다.

> Nを境に（して）

日本では就学年齢を4月2日**を境にして**決めている。（＝4月2日で区切って）
In Japan, the cut-off date for determining one's school age is April 2.
在日本，规定入学年龄以4月2日为界。 일본에서는 취학연령을 4 월 2 일을 경계로 정하고 있다.

来日の折に

来日の折には、私がご案内します。（＝来日したときには）

I will show you around when you come to Japan.
您来日本的时候，我来当向导。 일본에 오실 때에는 제가 안내하겠습니다.

私は、早朝の**散歩の折に**、花のスケッチをしています。（＝散歩のときに）

I stop to sketch flowers on my early morning walks.
我早晨散步的时候写生画花。 나는 이른 아침에 산책할 때, 꽃을 스케치 하고 있습니다.

> V/A/NA/N普 ┐
> ❗ naだな │ 折に（は）
> Nだの ┘

引っ越しを機に

引っ越しを機に、不用品を処分しよう。（＝引っ越しを機会として）

Let's use this move as an opportunity to get rid of unnecessary things.
趁着搬家，咱们处理掉不用的东西吧。 이사를 기회로 사용하지 않는 물건을처분하자.

> Nを機に（して）

会社を辞めたのを機に、水泳を始めた。（＝会社を辞めたのを機会として）

Quitting my job provided me with the opportunity to start swimming.
以辞职为契机，开始了游泳。 회사를 그만둔 것을 기회로 수영을 시작했다.

練習Ⅰ 正しいほうに○をつけなさい。

① その大地震（a. を機に　b. の折に）、各地で地震対策が見直されている。

② お近くにお越し（a. の折に　b. を前提として）は、是非お立ち寄りください。

③ 今までの意見を（a. 境に　b. 踏まえて）、この案を採用するかの決定を出したいと思います。

④ 結婚を（a. 前提として　b. 機に）彼女は会社を退職した。

⑤ 人は 40 歳を（a. 境に　b. 踏まえて）急に老化が進むそうです。

練習Ⅱ 下の語を並べ替えて正しい文を作りなさい。＿＿に数字を書きなさい。

⑥ 彼は、＿＿＿ ＿＿＿ ＿＿＿ ＿＿＿ 改め、まじめに働くようになった。

1　生活態度を　　2　境に　　3　これまでの　　4　子どもが生まれたのを

⑦ この自転車は ＿＿＿ ＿＿＿ ＿＿＿ ＿＿＿ 作られています。

1　使用を　　2　身長　　3　前提として　　4　160 センチ以上の人の

（答えは p.108）

103 ページの答え：Ⅰ－①a　②b　③a　④b　⑤a
Ⅱ－⑥2→4→3→1　⑦4→1→3→2

７日目　実戦問題

制限時間：１５分
１問４点×２５問

点数　／100

答えは別冊 p.5

問題１　次の文の（　　）に入れるのに最もよいものを、１・２・３・４から一つ選びなさい。

1　彼のコンサートの模様が10年の月日（　　　）ついに映像化された。

1　を経て　　2　を踏まえて　　3　を境に　　4　を機に

2　容疑者は警官に（　　　）パトカーに乗った。

1　促されるながら　　2　促されたまま　　3　促されるまま　　4　促されながらも

3　父親は、子どもを（　　　）、火事で燃えている家に飛び込んでいった。

1　助けんがために　　2　助けずとも　　4　助けずじまいで　　4　助けんがままに

4　さあ、最後の練習だ。本番（　　　）やってみよう。

1　のおりに　　2　ゆえに　　3　にもまして　　4　のつもりで

5　生徒たち（　　　）、どうしていいかわからないとは言えない。

1　を前提として　　2　の手前　　3　をよそに　　4　を経て

6　父は、うるさいと言わん（　　　）テレビの電源を切ってしまった。

1　がために　　2　ばかりに　　3　ながらも　　4　つもりで

7　その事件（　　　）、やっと古い法律が改正された。

1　を前提として　　2　の折に　　3　を機に　　4　ゆえに

8　今にも（　　　）桜のつぼみがふくらんでいる。

1　咲き出しながらに　　2　咲き出さずとも
3　咲き出すつもりで　　4　咲き出さんばかりに

9　私の家は裕福ではないけれど、まさに「（　　　）楽しい我が家」です。

1　貧しいままで　　2　貧しいながらも　　3　貧しいつもりで　　4　貧しいがために

10　あなたに出会った日（　　　）、私の人生がばら色に変わりました。

1　を踏まえて　　2　にひきかえて　　3　を境にして　　4　に先駆けて

11　天気がいいので運動（　　　）ハイキングに行きました。

1　を経て　　2　をよそに　　3　をかねて　　4　もさることながら

12 貧困（　　）教育が受けられない子どもたちを支援しよう。

1　ゆえに　　2　ままに　　3　ながらに　　4　ばかりに

13 時代（　　）制度の改革が求められている。

1　を境にした　　2　を経る　　3　においた　　4　に即した

14 日々の散歩の折に、（　　）。

1　季節の移り変わりを楽しんでいます
2　ついでに郵便局に寄っています
3　隣人との挨拶が苦手です
4　犬にほえられながらも歩いています

15 主人は、私が腹痛で苦しんでいるのをよそに、（　　）。

1　心配そうに私の顔をのぞいている
2　病院に連れて行こうと言い出せない
3　家にある薬を探し回っている
4　ぐうぐういびきをかいて寝ている

問題2　次の文の＿★＿に入る最もよいものを、1・2・3・4から一つ選びなさい。

16 ＿＿ ＿＿ ＿★＿ ＿＿ 評判はなかなかいい。

1　予備校の有名講師の授業が受けられる　　2　自宅に居ながら
3　そのシステムの　　4　にして

17 ＿＿ ＿＿ ＿★＿ ＿＿ 季節が素晴らしい。

1　それにもまして　　2　紅葉の
3　京都もいいが　　4　春の

18 昨日が ＿＿ ＿＿ ＿★＿ ＿＿ 暖かかった。

1　コートもいらないくらい　　2　のにひきかえ
3　今日は　　4　この冬一番の寒さだった

19 12月は ＿＿ ＿＿ ＿★＿ ＿＿ だった。

1　忙しさで　　2　じまい
3　目の回るほどの　　4　クリスマスカードも出さず

20 この仕事を任せられる ＿＿ ＿＿ ＿★＿ ＿＿ 、断れなくなってしまった

1　ほかにいない　　2　と言われた手前　　3　のは　　4　君をおいて

問題３　次の文章を読んで、[21]から[25]の中に入る最もよいものを、１・２・３・４から一つ選びなさい。

　我が社は、この春の新製品として、モバイル通信が可能な超軽量パソコンを発売することとなりました。

　まずは世界[21]、３月上旬に、日本での先行発売となります。もちろん、世界各国での販売[22]開発しておりますので、その後、順次展開していく予定です。

　このパソコンは、その軽さ[23]、機能性にも優れており、今まではその軽量[24]なし得なかった耐久性についても、自信をもっております。また、そのデザイン性の高さにも注目が集まっており、発売を待たずに、すでに各メディアからの取材依頼が絶えません。この高機能と超軽量の双方を実現できるのは、我が社[25]と自負しております。

　ぜひ直接お手に取って、その軽さを実感してください。

[21]　１　に即して　　２　にひきかえ　　３　に先駆けて　　４　にもまして

[22]　１　を機に　　２　を境に　　３　を経て　　４　を前提として

[23]　１　ながらも　　２　をかねて　　３　の手前　　４　もさることながら

[24]　１　ゆえに　　２　ままに　　３　ばかりで　　４　ながらで

[25]　１　をよそにならない　　２　をおいてほかにない
　　　３　をかねてならない　　４　を踏まえてほかにない

接続詞②

✤ AとBどちらも

および：生徒**および**保護者を対象とするアンケートを行います。

ならびに：住所、氏名、**ならびに**年齢を記入してください。

✤ AかBかを選ぶ（＝または／あるいは）

もしくは：その大学を受験するには、世界史、**もしくは**日本史を選択しなければならない。

ないしは：勤務地は、東京、**ないしは**東京近郊になる予定です。

＊１週間、**ないしは**２週間のうちに結論が出るでしょう。（＝１週間から２週間の間）

✤ Aに付け加えてB（＝また／それに／そのうえ／しかも）

かつ：彼のスピーチは内容が深く、**かつ**面白いものだった。

おまけに：この店はまずい。**おまけに**値段も高い。

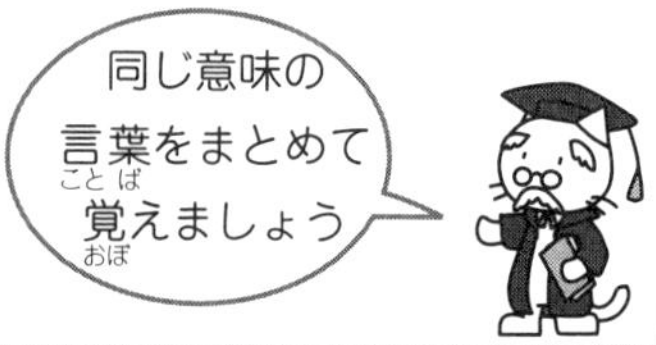

同じ意味の言葉をまとめて覚えましょう

105ページの答え：Ⅰ－①a　②a　③b　④b　⑤a
Ⅱ－⑥4→2→3→1　⑦2→4→1→3

第7週

努力に努力を重ねている

今週の表現

一日目
- □ごはん**に**お味噌汁
- □考え**に**考えて
- □一人**や**二人
- □壁**という**壁

二日目
- □40 歳**にして**
- □知り**もしないで**
- □思い出す**だに**
- □慣れぬ**こととて**

三日目
- □秋**めく**
- □大人**びる**
- □金持ち**ぶる**
- □仕事**ぶり**

四日目
- □使用**に耐える**
- □聞く**に堪えない**
- □信頼する**に足る**
- □恐れる**に足りない**

五日目
- □合格し**てみせる**
- □痛く**もなんともない**
- □つまらない**といったらない**
- □わかり**ゃしない**

六日目
- □知られ**ざる**真実
- □せ**ざるを得ない**
- □わざわざ行く**には及ばない**
- □彼**には及ばない**

第７週　努力に努力を重ねている

1日目　考えに考えて

Q.（　）に共通して入るのは？
スパゲッティ（　）フォーク、
うどん（　）はお箸でしょう。
を
に
で
ぼくは何でもお箸を使うよ。

ごはんにお味噌汁

日本の朝食と言えば、**ごはんにお味噌汁**でしょう。
（＝ごはんとお味噌汁の組み合わせ）

When you talk about Japanese breakfast, rice and miso soup should come into the picture.
要说日本的早饭，那就是米饭和酱汤。 일본의 아침식사라고 하면 밥과 된장국이겠지요.

私は、家ではたいてい**ジーンズにＴシャツ**を着ています。（＝ジーンズとＴシャツの組み合わせの服）

I wear mostly jeans and a T-shirt when I am at home.
我在家里一般穿牛仔裤和Ｔ恤。 나는 집에서는 대개 청바지에 Ｔ셔츠를 입고 있습니다.

> N_1にN_2

考えに考えて

考えに考えて進学を断念した。（＝よく考えて）

I decided not to go to a higher-level school after thinking carefully.
思虑再三，放弃了升学。생각을 거듭해 진학을 단념했다.

不景気だというのに、高級時計が**売れに売れている**という。
（＝次々とよく売れている）

Despite the bad economy, I hear expensive watches are selling like hotcakes.
尽管不景气，听说高级表的销量越来越好。 불경기라고 하는데, 고급시계가 잘 팔리고 있다고 한다.

> V~~ます~~にVて
> V~~ます~~にVた
> ◆強調

もっと！ 彼女は、**嘘に嘘を重ねて**男からお金を引き出していた。
（＝次々と嘘を言って）

She used numerous lies to pressure him to give her money.
她一个接一个地撒谎，从男人手中骗到了钱。
그녀는 거듭 거짓말을 하여 남자로부터 돈을 빼갔다.

> **NにNを重ねて**
> れい　研究に研究を重ねて
> 　　　我慢に我慢を重ねて

一人や二人

どこの職場にも、意地の悪い先輩が**一人や二人**いる。（＝一人か二人）

No matter where you work, you'll have to deal with one or two mean senior staff members.
在任何职场，总有一两名爱刁难人的前辈。 어느 직장이든 심술궂은 선배가 한두 사람은 있다.

一年や二年働いても、たいして貯金はできない。（＝一年か二年）

You won't be able to save much money even if you work for one or two years.
就算工作上一两年，也存不了多少钱。 일 년이나 이 년 일해도 대단한 저금은할 수 없다.

> N_1やN_2
> ◆Nは数量を表す言葉
> れい　1万や2万のお金
> 　　　3つや4つの子ども

壁(かべ)という壁

息子(むすこ)の部屋(へや)は**壁という壁**に車のポスターが貼(は)ってある。（＝すべての壁(かべ)に）
The walls of my son's room are covered with car posters.
儿子的房间里，只要是墙面，全都贴着汽车的海报。아들의 방은 모든 벽에 자동차 포스터가 붙어 있다.

チラシをこの地域(ちいき)の**家という家**に配(くば)って歩いた。（＝すべての家に）
I delivered flyers to every single house in this area.
把广告单发送到这个区域的每家每户。전단을 이 지역의 모든 집에 배포하며 걸었다.

今日という今日は、この仕事をやり遂(と)げなければならない。（＝今日は絶対(ぜったい)に）
I must finish the work today!
就在今天，一定要完成这项工作。오늘만큼은 이 일을 전부 다 해야 한다.

> NというN
> ◆強調(きょうちょう)
> ◎今度という今度
> （＝今度は絶対(ぜったい)）

練習Ⅰ 正しいほうに○をつけなさい。

① 家に変(へん)なにおいがこもったので、窓(まど)（a. に　b. という）窓を全部(ぜんぶ)開けた。

② （a. １回や２回の　b. １回や２回も）練習でギターは弾(ひ)けるようにならないよ。

③ 彼(かれ)は（a. 努力(どりょく)に努力　b. 努力するに努力）を重(かさ)ねて、念願(ねんがん)の弁護士(べんごし)になった。

④ 娘(むすめ)はおなかがすいていたらしく、（a. 食べる　b. 食べ）に食べていた。

⑤ 私は朝食(ちょうしょく)はいつもコーヒー（a. で　b. に）パンです。

練習Ⅱ 下の語を並(なら)べ替(か)えて正しい文を作りなさい。＿＿に数字(すうじ)を書きなさい。

⑥ 彼(かれ)は ＿＿ ＿＿ ＿＿ ＿＿ ピアニストになった。

1　練習を　　2　ついに　　3　練習に　　4　重(かさ)ねて

⑦ 彼女(かのじょ)は ＿＿ ＿＿ ＿＿ ＿＿ を真(ま)っ赤(か)に塗(ぬ)っていた。

1　爪(つめ)という　　2　すべて
3　爪　　4　学校の規則(きそく)をよそに

（答えは p.113）

２日目　思い出すだに

Q.（　　）に入るのは？
（　　）、偉そうなことを言うな。
できもしないで
できやしないで
できるもんか

40歳にして

40歳にして(初めて)車の免許を取った。（＝40歳のときに、初めて）
I got my first driver's license at the age of 40.
到了40岁才拿到了驾照。 40 세가 되어 처음 자동차 면허를 땄다.

> Nにして(初めて)
> ◆ 強調

この改革は、**あの政治家にして初めて**できたことだ。
（＝あの政治家だから）

That politician is responsible for spearheading this reform.
这种改革是只有那个政治家才能做到的。 이 개혁은 저 정치가이기 때문에 비로서 이루어진 것이다.

知りもしないで

知りもしないで偉そうなことを言うな。（＝よく知らないのに）
Don't act like you're an expert when you don't know much about it!
连知道都不知道，就不要说大话。 알지도 못하면서 잘난 듯이 말하지 마라.

> V~~ます~~もしないで
> ◆ 強調
> れい　謝りもしないで
> 　　　見向きもしないで

彼は、いつも**やりもしないで**、できないと言う。（＝少しもやらないのに）
He always gives up before he tries.
他总是连做都不做，就说不会。 그는 항상 하지도 않고 할 수 없다고 한다.

思い出すだに　硬

この間の彼女の態度は、**思い出すだに**腹が立つ。（＝思い出すだけでも）
Thinking about her attitude the other day still upsets me.
上次她那态度，只要想起来就生气。 일전의 그녀의 태도는 생각만 해도 화가 난다.

> Vるだに
> Nだに

地下鉄に乗っているときに大地震が起きたらどうなるだろう。**想像するだに**恐ろしい。
（＝想像するだけでも）
What will happen if an earthquake hits when I am using the subway? The thought is so scary.
如果坐地铁的时候发生了大地震会怎么样呢。光想像就让人恐怖。 지하철을 타고 있을 때에 큰 지진이 일어나면 어떻게 될까. 상상만해도 두렵다.

そんなこと、**夢(に)だに**思わない。（＝夢でさえ）
I can't even imagine that.
这样的事情，连做梦都没想过。 그런 건, 꿈에서조차 생각하지 않는다.

慣れぬこととて　硬

新入社員で慣れぬこととて、失礼があればお許しください。
（＝慣れないから）

Please forgive us should any of our new staff not be as well-trained as they should be.
因为是新职员，有诸多不习惯之处，如有失礼敬请谅解。
신입 사원이라 익숙하지 않기 때문에 실례가 있으면 용서해 주세요 .

年末年始は休業中のこととて、この時期の依頼にはすぐに対応ができない。（＝休業中だから）

We can't deal with such requests promptly during this long New Year holiday.
因为年末年初停止营业，这个时期的订单无法马上处理。
연말연시는 휴업 중이어서 이 시기의 의뢰에는 바로 대응을 할 수가 없다 .

V/A/na/N普こととて
❗ Nだの
　naだな
❗ ない→ぬ

練習Ⅰ 正しいほうに○をつけなさい。

① まだ検討中の（a. こととて　b. だに）、はっきりとしたお返事はできません。

② あんな大きい会社の倒産は、誰もが想像（a. だに　b. にして）しなかった。

③ これほどの安売りは、現金取引（a. にして　b. だに）初めて可能になることだ。

④ 彼は、授業に遅れてきたのに謝り（a. はしないで　b. もしないで）席に着いた。

⑤ 外国人と結婚するなんて、夢（a. にして　b. だに）思わなかった。

練習Ⅱ 下の語を並べ替えて正しい文を作りなさい。＿＿に数字を書きなさい。

⑥ その女優さんは、彼女に ＿＿ ＿＿ ＿＿ ＿＿ 行ってしまった。

1　声をかけた　　2　もしないで　　3　見向き　　4　ファンに

⑦ 彼女はまだ ＿＿ ＿＿ ＿＿ ＿＿ やってください。

1　初心者　　2　多少の失敗は　　3　大目に見て　　4　のこととて

（答えは p.115）

111 ページの答え：Ⅰ－①b　②a　③a　④b　⑤b
Ⅱ－⑥3→1→4→2　⑦4→1→3→2

第７週　努力に努力を重ねている

３日目　仕事ぶり

Q.（　　）に入るのは？
彼の（　　）は見ていて
気持ちがいいね。
食べるぶり
食べっぷり
食べふり
食べかけ

秋めく

涼しくなって、ずいぶん秋**めいて**きましたね。（＝秋らしくなって）

It's getting cool and the weather has become very autumnal.
凉快了，很有秋天的味道了。 시원해져서 무척 가을다와졌습니다 .

別れた恋人から、脅迫**めいた**メールが届いて、怖くなった。
（＝脅迫のように感じられる）

I was scared when my ex-boyfriend texted me and seemed to try to blackmail me.
收到了已分手的恋人带有恐吓含义的邮件，很害怕。 헤어진 애인에게서 협박이 담긴 메일이 와서 무서웠다 .

Nめく
Nめいて
NめいたN'
れい 謎めいた女性
皮肉めいた言葉
秘密めいた手紙

大人びる

和子ちゃん、大きくなってずいぶん大人**びて**きましたね。
（＝大人っぽくなって）

Kazuko! You've grown so much and look so grown-up.
和子长大了，变得特别像个小大人。 가즈코 , 커서 무척 어른스러워졌군요 .

もっと! 男は、悪**びれる**様子もなく、取り調べに応じている。
（＝悪いと思っている）

The police are questioning him but he is showing no remorse for what he did.
男人接受了讯问，并没有发怵的样子。 남자는 미안한 기색도 없이 , 취조에 응하고 있다 .

N / A⇔ ― びる / びて～ / びたN
れい 古びたコイン
悪びる→悪びれる

金持ちぶる　（－）

彼は金持ち**ぶっている**が、本当は借金がたくさんある。
（＝金持ちのふりをしている）

Though he pretends to be rich, in reality he is in serious debt.
他装着是有钱人，实际上有许多借款。 그는 부자인체하지만 사실은 빚이 많이 있다 .

彼女はお酒に酔うと、かわい子**ぶった**口のきき方をする。
（＝意識してかわいく見せようとした）

She talks like a little girl once she gets drunk.
她一喝醉酒，说话就变得娇滴滴的。 그녀는 술에 취하면 귀여운 것처럼 말을 한다 .

息子は悪**ぶっている**が、実は気の弱い優しい子です。（＝悪いように見せている）

My son acts tough, but he is actually quite weak and gentle.
儿子装着很坏，实际上是胆子小性情柔和的孩子。 아들은 나쁜척하지만 사실은 마음이 약한 상냥한 아이이다 .

na / N ― ぶる / ぶって / ぶったN
れい 親切ぶる
学者ぶる
先輩ぶる

仕事ぶり

先輩の<u>仕事ぶり</u>を見ながら要領を覚えよう。（＝仕事の様子）

You should learn the ropes by observing how your more experienced colleagues are working.

让我们看着前辈工作的样子来记住要领吧。 선배가 일하는 모습을 보면서 요령을 배우자.

社長の<u>話しぶり</u>では、今年のボーナスはないようだ。（＝話の様子では）

According to what the president told us, there may not be a bonus this year.

从社长的话语来看，今年似乎没有奖金。 사장의 말투로 보아 올해 보너스는 없는 것 같다.

彼女、<u>飲みっぷり</u>がいいね。相当、酒に強いんだろう。（＝飲む様子）

She's drinking quickly. She must be able to drink a lot.

她喝酒很豪爽。看来酒量很大。 그녀는 술 마시는 기세가 좋네. 상당히 술이 센 것 같다.

Nぶり
V~~ます~~ぶり
V~~ます~~っぷり

れい 活躍ぶり
慌てぶり
食べっぷり
走りっぷり

練習Ⅰ 正しいほうに○をつけなさい。

① 彼は中学生になったとたん、大人（a. めいた　b. びた）ことを言うようになった。

② （a. 若者ぶって　b. 若者めいて）薄着などするから風邪をひくんですよ。

③ 親切（a. ぶって　b. びて）近づいてくる人には気をつけてください。

④ 犯行現場には謎（a. めいた　b. びた）言葉が書かれていた。

⑤ 選手の活躍（a. ぶり　b. ぷり）がテレビで紹介されていた。

練習Ⅱ 下の語を並べ替えて正しい文を作りなさい。＿＿に数字を書きなさい。

⑥ 彼は＿＿　＿＿　＿＿　＿＿をしていたが、実は一度も行ったことがなかったらしい。

1　ぶって　　2　常連　　3　の話　　4　その店

⑦ その記事に＿＿　＿＿　＿＿　＿＿が大量に出版社に届いた。

1　メール　　2　対する　　3　反論　　4　めいた

（答えは p.117）

113ページの答え：Ⅰ－①a　②a　③a　④b　⑤b
Ⅱ－⑥1→4→3→2　⑦1→4→2→3

第７週　努力に努力を重ねている

４日目　聞くに堪えない

Q.（　　）に入るのは？
彼は、信用する（　　）人物だ。
にたえる
にたる
にたえない
ぼくは信用できるネコだ！

使用に耐える　《～に耐える／堪える》

これは50年間の**使用に耐える**丈夫な製品です。（＝使用が十分可能な）
This is a very durable product which will last for 50 years.
这是能经得住使用50年的坚固产品。 이것은 50 년 동안 충분히 사용할 수 있는 튼튼한 제품입니다.

この展示は**鑑賞に堪える**作品が少ない。（＝鑑賞する価値のある）
There are not many works of art which are worth looking at in this exhibition.
这个展览中经得住鉴赏的作品少。 이 전시는 감상할만한 작품이 적다.

> Vるにたえる
> N~~する~~にたえる
> れい　議論に堪える
> 読むに堪える
> 見るに堪える
> 聞くに堪える

聞くに堪えない

彼女のバイオリンは、あまりに下手で**聞くに堪えない**。
（＝聞くことが我慢できないほどひどい）
She plays the violin so poorly that we can hardly listen to her.
她的小提琴拉得太差，简直不堪入耳。 그녀의 바이올린은 너무나 서툴러 참고 들을 수 없다.

昨日の映画は残酷で**見るに堪えなかった**。
（＝見ることが我慢できないほどひどかった）
The movie I saw yesterday had many cruel scenes so it wasn't worth watching.
昨天的电影太残酷，不堪入目。 어제의 영화는 잔혹해서 참고 볼 수가 없었다.

> Vるに堪えない
> N~~する~~に堪えない
> れい　鑑賞に堪えない
> 読むに堪えない

信頼するに足る

彼は、**信頼に足る**人物だ。何でも相談するといい。
（＝十分信頼することのできる）
He is very trustworthy. You can ask him for advice on many things.
他是值得信任的人。什么都可以和他商量。 그는 신뢰하기에 충분한 사람이다. 무엇이든 상담하면 좋다.

彼女は、その仕事を**任せるに足る**人です。（＝十分任せることができる）
You can trust her to do the job well.
她是值得委任这项工作的人。 그녀는 그 일을 맡기기에 충분한 사람입니다.

> Vるに足るN
> N~~する~~に足るN
> れい　尊敬するに足る
> 報告するに足る
> 調査するに足る

恐れるに足りない

<table><tr><td>Vるに足りない
N<del>する</del>に足りない
◎ 恐るるに足らず
（＝恐れるに足りない）</td></tr></table>

就職難など、能力がある学生にとっては、恐れる**に足りない**。
（＝恐れる必要はない）

Capable students need not worry about the job shortage.
对于有能力的学生来说，求职难不足为惧。 취직난 같은 건 능력이 있는 학생으로선 무서워할 필요 없다.

この証拠だけでは彼が無罪であることを証明する**に足りない**。
（＝証明するのに十分でない）

This evidence alone is not good enough to prove his innocence.
光凭这个证据不足以证明他无罪。 이 증거만으로서는 그가 무죄인 것을 증명하기에 부족하다.

◎ 取る**に足りない**うわさ（＝取り上げるほどの価値がない）
a worthless rumor　毫无价值的谣言　하찮은 소문

練習Ⅰ 正しいほうに○をつけなさい。

① 電車の中で酔っ払いが聞く（a. にたえない　b. にたりない）言葉を大声で言っていた。

② 学生生活のいい思い出は、信頼する（a. たる　b. にたる）教師に出会えたということだ。

③ このシャツは毎日の洗濯（a. にたえる　b. にたる）素材で作られています。

④ 交通事故の現場写真は、見るに（a. たえる　b. たえない）ものばかりだ。

⑤ この本は子どもたちに推薦する（a. に足る　b. に足りない）いい内容だ。

練習Ⅱ 下の語を並べ替えて正しい文を作りなさい。____に数字を書きなさい。

⑥ ____ ____ ____ ____ はっきりしたことは言えない。

1　信ずるに　　2　なくして　　3　足る　　4　情報

⑦ 彼女の演技は ____ ____ ____ ____ ものだった。

1　失敗続きで　　2　とても　　3　たえない　　4　見るに

（答えは p.119）

第七週

115ページの答え：Ⅰ－①b　②a　③a　④a　⑤a
Ⅱ－⑥2→1→4→3　⑦2→3→4→1

5日目　痛(いた)くもなんともない

Q.（　　）に入るのは？
彼なんかにあの映画のよさは（　　　）。
わかりゃしない
わかったらない
確かに、つまんない映画だったなぁ。

合格(ごうかく)してみせる

今度こそ**合格してみせる**よ。（＝合格することを約束(やくそく)する）

This time I'll definitely pass the exam.
这次一定要考合格给你们瞧瞧。　이번에야 말로 합격해 보이겠다 .

ピアノ、うまくなったね。今の曲(きょく)、もう一回**弾(ひ)いてみせて**。（＝弾いて聞かせて）

You play the piano so much better now. Can you play the piece you just played again?
钢琴，有进步呀。刚才的曲子，再弹一次让我听听。　피아노 많이 늘었구나 . 이 곡 한 번 더쳐 봐 .

> Vてみせる

痛(いた)くもなんともない

歯医者(はいしゃ)「虫歯(むしば)がありますよ。」
患者(かんじゃ)「そうですか。まだ**痛くもなんともない**んですが……。」
（＝全(まった)く痛くない）

Dentist: "You've got a cavity." Patient: "Oh, yes? I don't feel it at all."
牙医："有虫牙。" 患者："是吗。倒是还不痛不痒的…"
치과의사「충치가 있습니다 .」
환자「그래요 ? 아직 전혀 아프지도 않습니다만…」

彼(かれ)のこと、**好きでもなんでもない**けれど、なぜか気にかかる。
（＝好きでも嫌(きら)いでもない）

I don't really like him but there is something interesting about him.
对他并没有任何喜欢的感觉，可不知为什么总是惦记着。　그를 좋아하지도 싫어하지도 않지만 왠지 신경이 쓰인다 .

> Aくも なんともない
> Naでも ┐
> Nでも ┘なんでもない
>
> ◆強調(きょうちょう)
> れい　ほしくもなんともない
> 　　　苦労(くろう)でもなんでもない

つまらないといったらない

昨日(きのう)見た映画は、**つまらないといったらなかった**。
（＝とてもつまらなかった）

The movie I saw yesterday was just too boring.
昨天看的电影无聊透顶。 어제 본 영화는 재미없기 그지없었다 .

今日は12時間も仕事をした。**疲(つか)れたといったらありゃしない**。（＝とても疲れた）

I worked for 12 hours today. I'm just so exhausted.
今天工作了12个小时。简直累死了。
오늘은 12 시간이나 일을 했다 . 피곤한 것은 이루 다 말할 수 없다 .

> Aい/na（とい）ったら ┬ ない。
> 　　　　　　　　　　├ ありはしない。
> 　　　　　　　　　　└ ありゃしない。
>
> ◆VやNでも使えるものがある。
> れい　腹(はら)が立つ（とい）ったらない
> 　　　喉(のど)が渇(かわ)く（とい）ったらない
> 　　　美しさ（とい）ったらない

わかりゃしない

V~~ます~~やしない
V~~ます~~ゃしない
◆「〜はしない」の口語形

最近、息子は私の言うことなど、**聞きやしない**。（＝全然聞かない）
Recently my son never listens to what I say.
最近儿子根本不听我的话。 요즘 아들은 내가 말하는 것 따위는 전혀듣지 않는다.

ドッグフードを変えたら、おいしくないのか、**食べやしない**。
（＝全然食べない）
I've changed my dog's dog food but he hasn't been eating it at all. Maybe it doesn't taste good.
换了狗粮后，也许是不好吃，狗连吃都不吃。 도그푸드를 바꾸니 맛이 없는지 전혀 먹지 않는다.

「ああ、スカートにシミがついちゃった……。」
「大丈夫だよ。誰も**わかりゃしない**よ。」（＝全然わからない）
"Oh, I got a stain on my skirt …" "Don't worry! Nobody'll notice it for sure!"
"啊，裙子上沾上脏点了…" "没关系，别人看不出来。"
「아, 스커트에 얼룩이 묻었어…」「괜찮아. 아무도 전혀 몰라.」

練習Ⅰ 正しいほうに○をつけなさい。

① 最近の若い女の子は爪を黒や緑に塗っていたりして、見苦しい（a. といったらありゃしない　b. といったりやしない）。

② 昨日のパーティーでの彼の態度は失礼（a. というと　b. といったら）なかった。

③ 自分の子がこんな罪を犯すとは、（a. 情けないといったらない　b. 情けなくもなんともない）。

④ 何度誘われたって、僕はそんなところに（a. 行きやしない　b. 行くったらない）よ。

⑤ 夏までに 10 キロ（a. やせてみせる　b. やせるといったらありゃしない）。

第七週

練習Ⅱ 下の語を並べ替えて正しい文を作りなさい。＿＿に数字を書きなさい。

⑥ それを知って相当 ＿＿ ＿＿ ＿＿ ＿＿ といったらなかった。

1　らしく　　2　彼の　　3　ショックだった　　4　あわてよう

⑦ 先日の試合は、＿＿ ＿＿ ＿＿ ＿＿ 点に開きがあった。

1　なんともない　　2　惜しくも　　3　負けても　　4　くらい

（答えは p.121）

117 ページの答え：Ⅰ－①a　②b　③a　④b　⑤a
Ⅱ－⑥1→3→4→2　⑦1→2→4→3

６日目　彼には及ばない

Q.（　）に入るのは？
やりたくないが、（　）を得ない。
しざる
せざる
するざる
しない！

知られざる真実

政治の世界には、<u>知られ**ざる**</u>真実がたくさんある。（＝知られていない）
There are a lot of unrevealed truths in the world of politics.
政治的世界里有许多不为人知的事实。 정치의 세계에는 모르는 진실이 많이 있다.

<u>絶え**ざる**</u>不安に夜も眠れない。（＝絶えない、ずっと続く）
I can't sleep at night because I worry incessantly.
不间断的不安，让我晚上也睡不着。 끝없는 불안에 밤에도 잠들 수 없다.

> V~~ない~~ざるN

せざるを得ない　硬

不本意だが<u>そうせ**ざるを得ない**</u>。（＝そうしなければならない）
Although I don't really want to do it, I have to.
虽然并非本意，但不得不这样。 본의는 아니지만 그렇게 하지 않을 수 없다.

今回の失敗は君の責任と<u>言わ**ざるを得ない**</u>。（＝言わなければならない）
I must say that the fact that we failed is your responsibility.
不得不说这次的失败是你的责任。 이번 실패는 너의 책임이라고 하지 않을 수 없다.

> V~~ない~~ざるを得ない
> ❗ しない→せざる

わざわざ行くには及ばない

電話で済むことだから、<u>わざわざ行く**には及ばない**</u>。
（＝わざわざ行く必要がない）
You won't need to trouble yourself to go since you can do it over the phone.
打个电话就行了，不用专门去。 전화로 되는 일이니까 일부러 갈 필요는 없다.

ファックスを使えばいい。<u>郵便で送る**には及ばない**</u>。
（＝郵便で送る必要がない）
You can use a fax machine. You don't need to send it by post.
发传真就行了。不必邮寄。 팩스를 사용하면 된다. 우편으로 보낼 정도는 아니다.

> Vる／N~~する~~ ］ に（は）及ばない
> れい　心配には及ばない
> 　　　それには及ばない

もっと！ <u>若者は言う**に及ばず**</u>、主婦やサラリーマンまで、彼のコンサートに行っている。
（＝若者については言うまでもなく ☞p.47）
Not only are young people going to his concert, so are housewives and salaried workers.
年轻人就不用说了，连主妇及公司职员都去看他的演唱会。 젊은이들은 물론이거니와 주부나 샐러리맨까지 그의 콘서트에 가고 있다.

彼(かれ)には及(およ)ばない

どんなに頑張(がんば)っても、**彼の成績(せいせき)には及ばない**。
（＝彼の成績のレベルには達(たっ)しない）

No matter how hard I study, I can't compete with him.
不论怎样努力，都不会赶上他的成绩。　열심히 해도 그의 성적에는 미치지 않는다.

> Nには及ばない
> ◆「そのレベルには達していない」という意味。

そのオリンピック選手(せんしゅ)は優勝(ゆうしょう)したが、**世界記録(きろく)には及ばなかった**。
（＝世界記録には達しなかった）

He won the gold medal at the Olympics but he could not break the world record.
那位奥运会选手虽然获胜，却没有达到世界纪录。그 올림픽선수는 우승했지만，세계 기록에는 미치지 못했다.

◎ **足元(あしもと)にも及ばない**（＝相手(あいて)のほうがはるかに優(すぐ)れている）
can't compete with　遥不可及 발밑에도 다다르지 못한다

練習Ⅰ 正しいほうに○をつけなさい。

① 面接(めんせつ)の結果(けっか)は電話で連絡(れんらく)しますので、こちらに（a. 来る　b. 来ない）には及(およ)びません。

② この交通事故(じこ)に関(かん)しては歩行者側(ほこうしゃがわ)の不(ふ)注意と（a. 言わざるを　b. 言わずを）えない。

③ その映画では、主人公(しゅじんこう)が（a. 見えざる　b. 見ざるをえない）敵(てき)と戦(たたか)う姿(すがた)が印象的(いんしょうてき)だった。

④ 京都(きょうと)には（a. およばず　b. およばない）が、この町にもお寺(てら)がたくさんあります。

⑤ 彼(かれ)の言うことは間違(まちが)っていないので、納得(なっとく)（a. しざる　b. せざる）を得(え)ないだろう。

練習Ⅱ 下の語を並(なら)べ替(か)えて正しい文を作りなさい。＿＿に数字(すうじ)を書きなさい。

⑥ レオナルド・ダ・ビンチは、＿＿＿ ＿＿＿ ＿＿＿ ＿＿＿ 分野(ぶんや)においても後世(こうせい)に多くの影響(えいきょう)を残(のこ)した。

1　哲学(てつがく)や思想(しそう)、　2　言うにおよばず　3　自然科学(しぜんかがく)の　4　絵画(かいが)や彫刻(ちょうこく)は

⑦ 私は、自分の ＿＿＿ ＿＿＿ ＿＿＿ ＿＿＿ を得(え)なかった。

1　ながらも　2　納得(なっとく)せざる　3　決定(けってい)したことに　4　意(い)に反(はん)し

（答えはp.124）

119ページの答え：Ⅰ－①a　②b　③a　④a　⑤a
Ⅱ－⑥3→1→2→4　⑦3→2→1→4

7日目　実戦問題

制限時間：15分
1問4点×25問

点数　／100

答えは別冊 p.6

問題１　次の文の（　　）に入れるのに最もよいものを、１・２・３・４から一つ選びなさい。

1　彼女は、夫の暴力に（　　　）いたが、ついに家を出て行く決心をした。

1　我慢するも我慢しないで　　2　我慢に我慢を重ねて
3　我慢という我慢を組んで　　4　我慢で我慢を合わせて

2　（　　　）「やります」と言った彼の責任は重い。

1　できるにたりて　2　できないにして　3　できもしないで　4　できなくはなくて

3　近所の梅の木も色づき、春（　　　）季節になりました。

1　びる　2　ぶる　3　まく　4　めく

4　昨日見た映画は残酷なシーンばかりで、とても（　　　）ものだった。

1　見るにたえない　2　見ざるを得ない　3　見るだに恐ろしい　4　見るには及ばない

5　だれでも（　　　）、死にたいと思ったことがあるのではないだろうか。

1　十回に一、二回　2　今度という今度　3　一度や二度　4　何回にして何回も

6　彼が自分の犯行であることを（　　　）証拠が出てきた。

1　認め足りない　2　認めるに耐えない　3　認めるに及ばない　4　認めざるを得ない

7　このあたりは、（　　　）塀に落書きがされていて、地域の大きな問題になっている。

1　塀や　2　塀に　3　塀とした　4　塀という

8　新入社員が入ってくると、急に先輩（　　　）口のきき方をする人が多い。

1　のふりで　2　ぶった　3　っぷりの　4　ぶりの

9　病院で寝たきりの母の姿を思い浮かべる（　　　）、涙が出てくる。

1　めく　2　ぶり　3　こととて　4　だに

10　なにぶん不慣れ（　　　）、ご迷惑をかけるかもしれませんが、よろしくお願いいたします。

1　なこととて　2　だに　3　ぶって　4　に足るもので

11　「何の苦労もない君なんかにぼくの気持ちは（　　　）さ。」

1　わからないったらない　　2　わかるったらない
3　わかりゃない　　4　わかりゃしない

12 その病気は現在、薬の開発のおかげで、昔ほど（　　　）そうだ。

1　恐れるに耐える　　2　恐れざるものだ
3　恐れざるを得ない　　4　恐れるに足りない

13 ご心配（　　　）。必ず期限までに完成させることをお約束いたします。

1　には足りません　　2　には及びません
3　かけるにたえません　　4　するもなんともありません

14「僕と結婚してください。あなたを必ず幸せに（　　　）。」

1　してみせます　　2　してなります
3　せざるを得ません　　4　するにおよびます

15 彼女が男性にもてるのは、うらやましくもなんともない。（　　　）。

1　私も彼女のように異性に注目されたい
2　彼女のような女性は男性がほっておかないだろう
3　私には素敵な彼がいるから
4　彼女の彼はだれよりも素敵なんだから

問題2　次の文の　★　に入る最もよいものを、1・2・3・4から一つ選びなさい。

16 ＿＿＿ ＿＿＿ ＿★＿ ＿＿＿ なかった。

1　結婚10年目にして　　2　やっと妊娠したときの
3　夫の喜びよう　　4　といったら

17 さまざまな ＿＿＿ ＿＿＿ ＿★＿ ＿＿＿ を楽しみにしている。

1　が得られる　　2　この番組　　3　世界の情報　　4　知られざる

18 久しぶりに姪（めい）に会ったところ、いつも ＿＿＿ ＿＿＿ ＿★＿ ＿＿＿ いたので、少々驚いた。

1　服装もさることながら　　2　大人びて
3　話し方が　　4　ジーンズにスニーカーだった

19 ＿＿＿ ＿＿＿ ＿★＿ ＿＿＿ がまだまだ残っている。

1　信頼に足る　　2　ものかどうか　　3　数値が　　4　調査の余地

20 ＿＿＿ ＿＿＿ ＿★＿ ＿＿＿ が、それには及ばないだろう。

1　ものなら　　2　を得ない　　3　修理できない　　4　新しいのを買わざる

問題3 次の文章を読んで、[21]から[25]の中に入る最もよいものを、1・2・3・4から一つ選びなさい。

先月、A社が研究開始から[21]、世界最高強度である繊維の開発に成功したと発表した。J20と名づけられたこの繊維はスチール繊維の10倍もの強度があるだけでなく、熱にも強く、650度の温度での使用[22]特性を備える。象のような重量の重いものをつりさげるベルトはもとより、繊維自体が軽量なので、消防服のような衣類にも適用できるという。まさに今後の需要が期待されるものであった。

[23]、そんなJ20も、ちょうど同時期にドイツで開発されたG30という繊維[24]のである。G30は、熱に対する耐性はJ20とそれほど変わらないものであるが、強度については、スチール繊維の20倍とされており、J20の強度を完全に上回っている。しかも、J20に比べて生産コストが半分程度だという。

A社の広報部によると、開発チームの[25]は計り知れないものであったということだが、G30を超える繊維を開発すべくさらなる調査、研究に乗り出すということだ。

[21]
1 15年目にして　2 15年目にそって
3 15年の歳月に即して　4 15年の歳月を機に

[22]
1 にたえる　2 にこえない　3 してみせる　4 に使用を重ねる

[23]
1 それゆえ　2 それどころか　3 しかも　4 しかしながら

[24]
1 より及ばない　2 より及ばなかった
3 には及ばず　4 には及ばなかった

[25]
1 落胆だに　2 落胆めき　3 落胆たり　4 落胆ぶり

接続詞（せつぞくし）③　練習問題

【問い】 正しいほうに○をつけなさい。（答えはp.127）

① 教科書（きょうかしょ）(a. および　b. ならび) に参考書（さんこうしょ）は、試験会場に持ち込（こ）まないようにしてください。

② 最近話題（さいきんわだい）の現代画家（げんだいがか）のその作品（さくひん）は、大胆（だいたん）(a. ないしは　b. かつ) 繊細（せんさい）なものだった。

③ 当事務所（とうじむしょ）は日曜 (a. おまけに　b. および) 祝日（しゅくじつ）は休業（きゅうぎょう）となっております。
あらかじめご了承（りょうしょう）ください。

④ 人間は存在（そんざい）や時間などについて哲学的（てつがくてき）に思考（しこう）する。
(a. ゆえに　b. しかしながら)、他（た）の動物と区別（くべつ）される。

⑤ 結婚（けっこん）しない女性（じょせい）が増（ふ）えている。(a. ちなみに　b. もしくは)
この課（か）の女性社員の6割（わり）が独身（どくしん）である。

p.92、p.108で
学習（がくしゅう）した接続詞（せつぞくし）の
確認（かくにん）をしましょう。

121ページの答え：Ⅰ－①a ②a ③a ④b ⑤b Ⅱ－⑥4→2→1→3 ⑦4→1→3→2

第8週

結果はどうあれ、努力しよう

今週の表現

一日目
- □冗談**はさておき**
- □結果**はどうあれ**
- □敬語**はおろか**
- □10年前**ならいざ知らず**

二日目
- □嘆く**にはあたらない**
- □想像**に難くない**
- □願っ**てやまない**
- □愛**でなくてなんだろう**

三日目
- □明日**でも差し支えない**
- □用心する**に越したことはない**
- □数えれ**ばきりがない**

四日目
- □同情**を禁じ得ない**
- □延期**を余儀なくされた**
- □考えすぎる**嫌いがある**
- □落第する**始末だ**

五日目
- □失礼**極まる**
- □無責任**極まりない**
- □感激**の極み**
- □光栄**の至り**

六日目
- □遅**かれ**早**かれ**
- □良き**につけ**悪しき**につけ**
- □周囲の反対**をものともせずに**
- □子ども**じゃあるまいし**
- □教師**にあるまじき**行為

第８週　結果はどうあれ、努力しよう

１日目　10年前ならいざ知らず

Q.（　　）に入るのは？
結果は（　　）、試験が終わってほっとした。
どうあれ
どうなれ
何あれ
心配だ

冗談はさておき

<u>冗談**はさておき**</u>、この件についての解決方法を考えましょう。
（＝冗談はおいておいて）

Joking aside, let's discuss solutions to this problem.
先不开玩笑了，让我们考虑一下这件事的解决办法吧。
농담은 그만두고 이 건에 대한 해결방법을 생각합시다 .

> **Nはさておき**
> ◆話題を変えるときに使う。

<u>この話**はさておき**</u>、教科書の 80 ページを見てください。（＝この話は今は取り上げないで）

Moving on, please look at page 80 in the textbook.
这件事先暂且不提，请看教材的第 80 页。 이 이야기는 그만두고 교과서의 80 페이지를 봐 주세요 .

結果はどうあれ

<u>結果**はどう(で)あれ**</u>、悔いはない。（＝結果はどうであっても）

I have no regrets regardless of the result.
不管结果如何，我不后悔。 결과가 어떻든 후회는 없다 .

<u>理由**は何であれ**</u>、教室での携帯電話の使用は認めません。
（＝理由が何であっても）

We won't allow you to use cell phones in the classroom for any reason.
不论是何种理由，都不允许在教室里用手机。
이유가 무엇이든 , 교실에서의 휴대전화사용은 인정할 수 없습니다 .

> **Nはどう(で)あれ**
> れい　いつ**であれ**（＝いつでも）
> だれ**であれ**（＝だれでも）
> どこ**であれ**（＝どこでも）
> どんな〜**であれ**（＝どんな〜でも）

敬語はおろか　（一）

彼は、<u>敬語**はおろか**</u>日常会話**も**できない。
（＝敬語は当然できなくて）

He can't carry on a daily conversation, let alone properly use honorific expressions.
别说敬语了，他连日常会话都不会。 그는 경어는 물론 일상회화도 할 수 없다 .

> **Nはおろか〜(も/まで/すら)**
> ◆よくない状況を表す文が続く。

彼は<u>自分の会社**はおろか**</u>住んでいる家**まで**失ってしまった。（＝自分の会社は当然として、さらに）

Not only did he lose his company, he even lost his home.
别说自己的公司了，连住的房子都失去了。 그 사람은 자신의 회사는 물론 살고 있는 집마저 잃고 말았다 .

ケガをして、<u>歩くの**はおろか**</u>立つことすらできない。（＝歩くのは当然できなくて）

I can't even stand up because of the injury, let alone walk.
受伤后，别说走路了，连站都站不起来了。 부상을 입어 걷는 것은 물론 서는 것조차할 수 없다 .

10年前ならいざ知らず　硬

<u>10年前**ならいざ知らず**</u>、今時、携帯電話を持っていない人は珍しい。
（＝10年前については知らないが）

I don't know about 10 years ago, but it is rare to find a person without a cell phone nowadays.
十年前暂且不论，现在这个时候没有手机的人很罕见。
10 년 전 일은 잘 모르겠지만 요즈음 휴대전화를 갖고 있지 않는 사람은 드물다.

Nなら
Nは
］いざ知らず

<u>外国**はいざ知らず**</u>、それは我が国では法律で禁止されている。
（＝外国についてはどうか知らないが）

I don't know about other countries, but it is prohibited by law in our country.
外国暂且不说，这个在我们国家里被法律禁止。
외국은 잘 모르겠지만 그것은 우리 나라에서는 법률로 금지되어 있다.

練習Ⅰ　正しいほうに○をつけなさい。

① 幼稚園のころの友達の、名前（a. はおろか　b. どうあれ）顔さえ忘れてしまった。

② 昔（a. ならいざしらず　b. はおろか）、今そんな迷信を信じる人はいないだろう。

③ 仕事の話（a. はさておき　b. はいざ知らず）、今日は思いきり楽しみましょうよ。

④ 近所に泥棒が入り、現金（a. はさておき　b. はおろか）、冷蔵庫の中のものまで盗まれたそうだ。

⑤ どんな理由（a. であろうか　b. であれ）、入会金の返金は認められません。

練習Ⅱ　下の語を並べ替えて正しい文を作りなさい。＿＿に数字を書きなさい。

⑥ 最近の大学生の中には、＿＿　＿＿　＿＿　＿＿　知らない者がいる。

1　はおろか　　2　すら　　3　レポートの書き方　　4　論文

⑦ 難しい問題は　＿＿　＿＿　＿＿　＿＿　ものから手をつけよう。

1　解決　　2　すぐに　　3　さておき　　4　できそうな

（答えはp.129）

124ページの答え：①b　②b　③b　④a　⑤a

2日目　願ってやまない

Q.（　　）に入るのは？
彼が合格したのは、
驚く（　　）。
にかたくない
にはあたらない
ぼくが合格したら、
みんな驚くだろう。

嘆くにはあたらない

試験に落ちたからといって、**嘆くにはあたらない。**
（＝嘆くほどのことではない）

It's not worth crying over failing the examination.
就算是考试落榜，也用不着唉声叹气。　시험에 떨어졌다고 해서 한탄할 정도는 아니다.

10円貸したくらいで、**感謝されるにはあたらない。**
（＝感謝されるほどのことではない）

It's not worth thanking me for lending you 10 yen.
就借了10日元，用不着感谢。　10엔 빌려준 정도로 감사를 받을 만한 일은 아니다.

> Vるに(は)あたらない
> れい　心配するにはあたらない
> 非難するにはあたらない
> 驚くにはあたらない

想像に難くない

彼らが離婚したことは**想像に難くない。**（＝簡単に想像できる）
I'm not surprised to hear that they got divorced.
不难想象他们已离婚。　그들이 이혼한 것은 상상하기 어렵지 않다.

この作品を作るのに、どんなに時間がかかったかは**察するに難くない。**（＝簡単に察することができる）

It's not hard to imagine how much time they spent making this work.
不难觉察出创作这个作品是多么花费时间。
이 작품을 만드는데에 얼마나 시간이 걸렸는가는 짐작하기 어렵지 않다.

> N~~する~~に難くない
> Vるに難くない
> れい　理解に難くない

願ってやまない

僕は君たちの合格を**願ってやまない。**（＝いつまでも強く願っている）
I wish you good luck with your (entrance) exam.
我衷心祝愿你们能合格。　나는 너희의 합격을 바라 마지 않는다.

私が**愛してやまない**国は、タイです。（＝とても愛している国は）
The country I dearly love is Thailand.
我无比热爱的国家是泰国。　내가 사랑해 마지 않는 나라는 타이입니다.

> Vてやまない
> れい　祈ってやまない
> 信じてやまない
> 尊敬してやまない

愛でなくてなんだろう

彼女に対するこの気持ちは、**愛でなくてなんだろう**。
（＝愛以外のものではない／確かに愛だ）

This feeling of mine for her must be love.
对她的心情，不是爱是什么呢。　그녀에 대한 이 기분은 사랑이 아니고 무엇일까.

Nでなくてなんだろう。
◆感情がこもった言い方

あの政治家のやったことは**汚職でなくてなんだろう**。（＝汚職以外のことではない／確かに汚職だ）

What that politician did was definitely corrupt.
那个政治家的所作所为不是贪污是什么呢。　저 정치가가 한 짓은 오직이 아니고 무엇일까.

練習Ⅰ　正しいほうに○をつけなさい。

① 状況から判断して、彼が犯人であることは想像に（a. かたくない　b. あたらない）。

② 課長が会社を辞めたしたとしても、驚くには（a. かたくない　b. あたらない）。

③ 彼は裁判で無罪を主張しているが、彼のやったことは殺人で（a. なくて　b. なしで）なんだろう。

④ 母が死んで10年以上たつのに、父はまだ母を（a. 愛し　b. 愛して）やまない。

⑤ 両親を亡くした彼女の気持ちは察するに（a. かたくない　b. あたらない）。

練習Ⅱ　下の語を並べ替えて正しい文を作りなさい。＿＿に数字を書きなさい。

⑥ 5分ぐらい ＿＿ ＿＿ ＿＿ ＿＿ あたらないだろう。

1　からと　　2　遅れた　　3　いって　　4　怒るには

⑦ 子どものために病気になるまで働くとは、＿＿ ＿＿ ＿＿ ＿＿ だろう。

1　愛　　2　なん　　3　親の　　4　でなくて

（答えはp.131）

127ページの答え：Ⅰ－①a　②a　③a　④b　⑤b
Ⅱ－⑥4→1→3→2　⑦3→2→1→4

第８週　結果はどうあれ、努力しよう

3日目　早ければ早いに越したことはない

Q.（　　）に入るのは？
スーツじゃなくても
（　　）ありません。
越したことは
きりが
差し支え
着られません。

明日でも差し支えない

お返事は明日でも差し支えありません。（＝明日でもかまいません）

It will be fine if you can give me your answer tomorrow.
明天答复也没关系。 답변은 내일이어도 상관 없습니다.

この薬はいつも飲んでいるビタミン剤と併用しても差し支えない。
（＝併用しても問題がない）

You don't need to worry about taking this medication together with your daily vitamin.
这种药和平时吃的维生素一起吃也没关系。이 약은 언제나 먹고 있는 비타민제와 병용해도 지장이 없다.

Vても
Aくても
naでも
Nでも
} 差し支えない

OK ～しなくても差し支えない

もし差し支えないようでしたら（＝問題がなければ）

if it's alright with you　如果没有什么影响　혹시 지장이 없으시다면

用心するに越したことはない

用心（する）に越したことはない。傘を持っていこう。
（＝用心するのがいちばんいい）

It is better to be prepared. Let's take umbrellas with us.
小心一些最好。带着伞去吧。 조심하는 것보다 나은 것은 없다. 우산을 가지고 가야지.

Vる/Vないに越したことはない
Aい/Aくないに越したことはない
na（である）に越したことはない
N（である）に越したことはない
N~~する~~に越したことはない

お金はあるに越したことはない。（＝当然あるのはいいことだ）

It's better to have money.　有钱是最好的了。 돈은 있는 것보다 나은 것은 없다.

安いに越したことはないが、品質が悪いものは買いたくない。（＝安いのは当然いいことだが）

It's better to get it cheaply but I don't want to buy poor quality goods.
虽然说最好是便宜，但也不想买质量差的东西。 당연히 싼 것이 좋지만 품질이 나쁜 것은 사고 싶지 않다.

もっと！ レポートの提出は、早ければ早いに越したことはない。
（＝早いほうがいい）

It would be better if you could submit your paper earlier.
交报告，越早越好。 리포트제출은 빠르면 빠를수록 좋다.

同じ商品だったら、安ければ安いに越したことはない。
（＝安いほうがいい）

It would be better if you could get the same goods cheaper.
如果是同样的商品，当然是越便宜越好。 같은 상품이라면 싸면 쌀수록 좋다.

Vるなら（ば）Vる
AければAい
naなら（ば）na（である）
Nなら（ば）N（である）
～ないなら（ば）
} に越したことはない

数えればきりがない

彼の欠点を**数えればきりがない**。（＝数えられないほど多い）

There are no bounds to his shortcomings. 他的缺点数不胜数。그의 결점을 세면 끝이 없다.

Vば
Vたら　} きりがない
Vると

れい　欲を言え**ばきりがない**
　　　愚痴を言え**ばきりがない**

「もっといい時計がほしい。」

「このくらいで我慢しないと、**上を見たらきりがない**よ。」

（＝まだまだ上〈この場合、高いもの〉がある）

"I want a better watch."
"You should be happy with the one you have because if you start looking for a nicer one, you'll end up spending a lot more money."
"想要更好的表。""差不多就凑合吧，光往上看的话，没有尽头。"
「좀더 좋은 시계가 필요해.」「이정도로 참아야지, 더 좋은 걸 찾다보면 끝이 없다.」

➡ **きりがない**から、この辺で終わりましょう。（＝いつまでも終わりは来ないから）

Let's stop here as there is no end to it. 因为没有个头，就在这里结束吧。끝이 없으니까 이 부근에서 끝냅시다.

練習Ⅰ　正しいほうに○をつけなさい。

① 勝ち負けは気にしないと言っても、やはり（a. 勝つに　b. 勝てば）越したことはない。

② 欲を言えば（a. きりが　b. きりも）ないから、このマンションに決めよう。

③ 性能が同じなら、価格が（a. 安いと　b. 安いに）越したことはない。

④ この場所なら、喫煙しても（a. 差し支えありません　b. 差し支えません）。

⑤ 不満を言うと（a. 差し支えない　b. きりがない）けれど、今の会社を辞めるわけにはいかない。

練習Ⅱ　下の語を並べ替えて正しい文を作りなさい。＿＿に数字を書きなさい。

⑥ 資格を持っていると就職に有利だ。＿＿＿　＿＿＿　＿＿＿　＿＿＿　なら取っておこう。

1　持っている　　　　2　持っていれば
3　取れる　　　　　　4　に越したことはないから

⑦ ＿＿＿　＿＿＿　＿＿＿　＿＿＿　ところ、ほかの応募者は全員経験者だった。

1　応募した　　2　経験がなくても　　3　というので　　4　差し支えない

（答えはp.133）

129ページの答え：Ⅰ－①a　②b　③a　④b　⑤a
Ⅱ－⑥2→1→3→4　⑦3→1→4→2

第８週　結果はどうあれ、努力しよう

4日目　延期を余儀なくされた

Q.（　　）に入るのは？
君は考えすぎる
（　　）がある。
しまつ
きらい
きり
べきだ

同情を禁じ得ない　硬

彼の不幸な人生には、**同情を禁じ得ない**。（＝同情しないではいられない）
I can't help but feel sorry for his unfortunate circumstances.
对于他不幸的人生，同情之心油然而生。　그의 불행한 인생에는 동정을 금할 수 없다.

その葬式での家族の挨拶に、**涙を禁じ得なかった**。
（＝涙を流さないではいられなかった）
I couldn't help but have tears in my eyes as I listened to the family members addressing the guests at the funeral.
听到举办葬礼的家人的致词，眼泪不禁夺眶而出。　그 장례식에서 가족들의 인사에 눈물을 금할 수 없다.

> Nを禁じ得ない
> れい　笑いを禁じ得ない
> 　　　怒りを禁じ得ない
> 　　　憤りを禁じ得ない

延期を余儀なくされた　硬

その試合は雨のため、**延期を余儀なくされた**。（＝仕方なく延期した）
Due to the rain, the game had to be postponed.
因为下雨，那个比赛不得不延期。　그 시합은 비 때문에 연기를 하지 않을 수 없었다.

災害のため、多くの住民が**避難所での生活を余儀なくされている**。
（＝仕方なく避難所での生活をしている）
Many people have been forced to live in shelters because of the disaster.
因为受灾，众多居民不得不在避难所生活。　재해 때문에 많은 주민이 피난소에서 생활 하지 않을 수 없다.

> Nを余儀なくされる

考えすぎる嫌いがある　(−)硬

彼は物事を少し**考えすぎる嫌いがある**。（＝考えすぎる傾向がある）
He tends to take things too seriously.
他总爱对事情考虑得有点过多。　그는 일을 너무 많이 생각하는 경향이있다.

この頃の若者は**協調性に欠ける嫌いがある**。
（＝協調性に欠ける傾向がある）
Young people these days tend to lack the ability to work well with others.
这个时候的年轻人有缺乏协调性的倾向。　요즈음의 젊은이는 협조성이 없는 경향이 있다.

> Vる嫌いがある
> Nの嫌いがある
> ◆よくない傾向を表す。
> ◆「すぎる嫌いがある」という形が多い。
> れい　長すぎる嫌いがある
> 　　　〜に欠ける嫌いがある

落第する**始末だ**　（一）

息子には失望した。勉強しないどころか、落第する**始末だ**。
（＝落第するという状況だ）

I am so disappointed with my son. Not only does he not study, he has failed a course.
对儿子太失望了。不仅不学习，最后还留级了。
아들에게는 실망했다. 공부하지 않는 것은 물론이거니와, 낙제하는 상황이다.

昔はお金がなくて、電気や水道も止められる**始末だった**。
（＝止められるという状態だった）

I had so little money that my electricity and water were cut off.
以前没有钱，最后连电和水都被掐断了。 옛날에는 돈이 없어 전기나 수도도 끊어지는 형편이었다.

> Vる**始末だ**
> ⊘ この/その/あの**始末だ**
> ◆最後によくない状況や結果になったことを表す。

練習Ⅰ 正しいほうに○をつけなさい。

① 政治家の汚職を見るにつけ怒りを（a. 禁じ得ない　b. 余儀なくされた）。

② 昨日の彼らのコンサートでは、興奮のあまり気を失う少女が出る（a. きらいがあった　b. しまつだった）。

③ 彼女は大げさに言う（a. きらいがある　b. 始末だ）から、そのつもりで聞くように。

④ すぐ治るけがだと言われたのに無理をしたため、手術（a. を余儀なくされた　b. を禁じえなかった）。

⑤ うちの娘は、ダイエットのしすぎで病気になり、（a. 入院する　b. 入院した）始末だ。

練習Ⅱ 下の語を並べ替えて正しい文を作りなさい。＿＿に数字を書きなさい。

⑥ 田中さんは ＿＿ ＿＿ ＿＿ ＿＿ あると指摘された。

1　に欠ける　　2　慎重すぎて　　3　積極性　　4　きらいが

⑦ 彼は、＿＿ ＿＿ ＿＿ ＿＿ のか疑問である。

1　始末で　　2　やる気がある
3　遅刻してきたくせに　　4　早退したいと言い出す

（答えは p.135）

131ページの答え：Ⅰ－①a　②a　③b　④a　⑤b
Ⅱ－⑥2→1→4→3　⑦2→4→3→1

5日目　光栄の至り

Q.（　　）に入るのは？
彼の行為は軽率（　　）。
の至りだ
極まりない
極まりだ
限りだ

失礼極まる　硬

彼の態度は**失礼極まる**。（＝これ以上ないほど失礼だ）
His attitude is rude in the extreme.
他的态度极其失礼。 그의 태도는 실례이기 그지없다.

昨日見た映画は、**平凡極まる**内容だった。（＝非常に平凡な）
The movie I watched yesterday was simply uninspired.
昨天看的电影，内容极其平凡。 어제 본 영화는 평범하기 그지없는 내용이었다.

結婚式で両親の言葉を聞いて、彼女は**感極まって**泣き出した。
（＝感情が最高に達して）
She was moved and started to cry as she listened to her parents speak at her wedding.
在结婚典礼上听了父母的话，她感激之至，不禁哭了。 결혼식에서 양친의 말을 듣고, 그녀는 감격한 나머지 울었다.

> na極まる
> ◆慣用句的表現
> れい　不愉快極まる
> 退屈極まる
> 卑劣極まる

無責任極まりない　硬

あの人は社長として、**無責任極まりない**。（＝これ以上ないほど無責任だ）
As president, he is totally irresponsible.
那个人作为社长，真是太不负责了。 저 사람은 사장으로서 무책임하기 그지없다.

あの発言は一国の首相として、**軽率なこと極まりない**。
（＝これ以上ないほど軽率だ）
As the Prime Minister of the country, that statement was totally inappropriate.
作为一个国家的首相，他的发言简直轻率至极。 저 발언은 한 나라의 수상으로서 경솔하기 그지없다.

> na(なこと) / Aいこと ］極まりない
> ◆「極まる」と同じ意味。「極まりない」のほうがよく使われる。

感激の極み　硬

優勝できて、**感激の極み**です。（＝最高に感激している）
I can't tell you how delighted I am that we've won the championship.
能够获胜，感激之至。 우승할 수 있어서 대단히 감격했습니다.

長時間の試合で、選手たちは**疲労の極み**に達していた。
（＝疲労の程度が最高の状態）
The players were totally exhausted during the long-lasting game.
由于长时间的比赛，选手们的疲劳程度达到了极点。 장시간의 시합으로 선수들은 피로가 극에 달해 있다.

> Nの極み
> ◆程度が最高。
> れい　贅沢の極み
> 残念の極み
> 無知の極み

光栄の至り　硬

こんなすばらしい賞をいただいて、光栄の至りです。
（＝これ以上ないほど光栄）

I am sincerely honored to receive such a prestigious award.
竟然得到这么了不起的奖，光荣之至。이렇게 멋진 상을 받아, 무척 영광스럽습니다.

若気の至りで、せっかく入った大学をやめてしまった。
（＝若いころの勢いが行きすぎた結果）

Due to the ignorance of youth, I quit the university which I entered with much trouble.
由于年轻气盛，好不容易考上了大学，却退学了。젊은 치기로 모처럼 들어간 대학을 그만 두어 버렸다.

> Nの至り
> ◆慣用句的に使う。気持ちを表す。
> れい ○感激の至り
> ×疲労の至り

練習Ⅰ 正しいほうに○をつけなさい。

① 私は貧乏（a. 極まりない　b. の極み）環境で育ったので、外食などしたことがなかった。

② 戦争が長く続くその地域の人々の生活は、悲惨（a. 極みだ　b. 極まりない）。

③ その映画の残酷（a. 極まる　b. の至りの）シーンはカットされた。

④ あなたのような大スターとお会いできるなんて感激の（a. 至り　b. 極まり）です。

⑤ あなたにとっては日常的なことかもしれませんが、私にとってはそれは贅沢（a. の極み　b. の極まり）です。

練習Ⅱ 下の語を並べ替えて正しい文を作りなさい。＿＿に数字を書きなさい。

⑥ ガソリンスタンドでタバコを吸う ＿＿ ＿＿ ＿＿ ＿＿ だ。

1　極まりない　　2　など　　3　行為　　4　危険

⑦ 私の研究が ＿＿ ＿＿ ＿＿ ＿＿ 至りです。

1　そのような　　2　評価を受けた　　3　感激の　　4　ということは

（答えは p.137）

第八週

133ページの答え：Ⅰ－①a　②b　③a　④a　⑤a
Ⅱ－⑥2→3→1→4　⑦3→4→1→2

6日目　子どもじゃあるまいし

Q.（　　）に入るのは？
結婚相手は（　　　）
きっと現れますよ。
遅くて早くて
遅かれ早かれ
遅いとも早いとも
早く現れてほしい！

遅かれ早かれ

この番組も、◎**遅かれ**早**かれ**視聴者に飽きられるだろう。
（＝その時期が遅いか早いかはわからないが）

People will sooner or later become tired of this program, too.
这个节目也早晚会被观众看腻。 이 프로그램도 늦든 빠르든 (언젠가) 시청자가 지루해 할 것이다 .

若い女性なら、◎**多かれ少なかれ**セクハラを経験したことがあるだろう。
（＝その人数が多いか少ないかはわからないが）

Every young woman has experienced sexual harassment of some sort.
年轻女性，多多少少都有过被性骚扰的经历。 젊은 여성이라면 많든 적든 성희롱을 경험한 적이 있을 것이다 .

> A₁⇔かれA₂⇔かれ
> ◎ 良かれ悪しかれ

良き**につけ**悪しき**につけ**

◎ 良き**につけ**悪しき**につけ**、子どもは親の影響を受ける。
（＝良くても悪くても）

Children's good or bad behavior is affected by their parents' behavior.
不论是好是坏，孩子都会受到父母的影响。 좋든 나쁘든 아이는 부모의 영향을 받는다 .

> A₁につけ（A₂につけ）
> OK いいにつけ、悪いにつけ

周囲の反対**をものともせずに**

周囲の反対**をものともせずに**、二人は結婚した。
（＝周囲が反対しているのを全く気にしないで）

They were not bothered by the objections of others and got married anyway.
两人不顾周围的反对结婚了。 주위의 반대에 아랑곳하지 않고 두 사람은 결혼했다 .

消防士たちは、危険**をものともせずに**、火の中に飛び込んで行った。（＝危険を全く恐れないで）

The firemen bravely went into the fire ignoring all risks.
消防队员们不顾危险，冲进了火海。 소방사들은 위험을 아랑곳하지 않고 불속으로 뛰어들었다 .

> Nをものともせずに
> ◆問題や困難に負けないで
> れい 敵の攻撃をものともせずに
> 嵐をものともせずに

子どもじゃあるまいし

子どもではあるまいし、泣くのはやめなさい。（＝子どもではないのだから）

Stop crying! You are not a child.
又不是孩子，别哭了。아이도 아니고 , 우는 것은 그만둬라 .

夏じゃあるまいし、この冬にＴシャツ１枚で外出するなんて、頭がどうかしているよ。（＝夏ではないのだから）

You must be crazy going out in the middle of winter in a T-shirt. It's not summer, you know.
又不是夏天，冬天竟然穿着一件Ｔ恤就出去，真是脑子不正常。
여름도 아니고 이 겨울에 T 셔츠 한 장으로 외출하다니 , 머리가 어떻게 된 것 같아 .

> Nではあるまいし
> Nじゃあるまいし

教師にあるまじき行為 　硬

学生を恐喝するとは、**教師にあるまじき**行為だ。
（＝教師という立場の人間にあってはならない）

It is totally unacceptable for a teacher to blackmail students.
竟然恐吓学生，是教师不应该有的行为。학생을 공갈하다니 , 교사로서 있을 수 없는 행동이다 .

> N_1にあるまじきN_2
> ◆ N_2＝こと／発言／行動／態度

練習Ⅰ 正しいほうに○をつけなさい。

① 昨日見た報道番組では、この世に（a. あるまい　b. あるまじき）光景が次々と流された。

② 野菜が体にいいのはわかるが、（a. 馬じゃあるまいし　b. 馬にはあるまいし）こんなにたくさんは食べられない。

③ 彼女は足の痛み（a. にあるまじき　b. をものともせずに）マラソンを走り抜いた。

④ 弱い者をだまして金を取るなど、人間に（a. あるまじき　b. あるまいし）行為だ。

⑤ 人は、（a. 多くにつけ少なくにつけ　b. 多かれ少なかれ）悩みはあるものです。

練習Ⅱ 下の語を並べ替えて正しい文を作りなさい。＿＿に数字を書きなさい。

⑥ それを食べた ＿＿ ＿＿ ＿＿ ＿＿ 、吐き出すなんて大げさすぎるよ。

1　から　　2　死ぬ　　3　といって　　4　わけじゃあるまいし

⑦ 子どもはいいに ＿＿ ＿＿ ＿＿ ＿＿ ながら成長している

1　につけ　　2　大人を見習い　　3　悪い　　4　つけ

（答えは p.141）

> 135 ページの答え：Ⅰ－①a　②b　③a　④a　⑤a
> Ⅱ－⑥2→4→1→3　⑦1→2→4→3

第八週

７日目　実戦問題

制限時間：１５分
１問４点×２５問

点数
／100

答えは別冊 p.6 ～ 7

問題１　次の文の（　　）に入れるのに最もよいものを、１・２・３・４から一つ選びなさい。

1　一見平和に見えるこの国だが、（　　　）ほどの問題を抱えている。

1　数えるにこしたことがない　　2　数えればきりがない
3　数えるにはあたらない　　4　数えるにかたくない

2　小学生（　　　）、大学生にもなってこんな簡単な算数がわからないとは情けない。

1　ならいざ知らず　2　はおろか　3　に差し支えず　4　をものともせずに

3　私の隣に座っていた人は、コンサートの開始に遅れただけではなく、居眠り（　　　）。

1　の至りだった　　2　を禁じえなかった
3　をする始末だった　　4　を余儀なくされた

4　「酔っていたとはいえ、失礼（　　　）態度を取ってしまい、誠に申し訳ありませんでした。」

1　きりがない　2　極まりない　3　あるまじき　4　の至りの

5　仲間が海で遭難した。彼らの無事を（　　　）。

1　願ってやまない　2　願い極まる　3　願う始末だ　4　願うにかたくない

6　首相が辞任したのは、筋書き通りで（　　　）。

1　驚くことにこしたことはなかった　　2　驚きにかたくなかった
3　驚きを禁じ得なかった　　4　驚くにはあたらなかった

7　Ａ社は昨今の不景気（　　　）、業績を伸ばしている。

1　はおろか　2　をいざ知らず　3　はさておき　4　をものともせず

8　馬（　　　）、こんなにたくさんのニンジンは食べられませんよ。

1　は何であれ　2　じゃあるまいし　3　はおろか　4　にあるまじきで

9　特に秘密にしているわけではないので、（　　　）。

1　誰に話しても極まりません　　2　誰かに話すにはあたりません
3　誰かに話すにこしたことはありません　4　誰に話しても差し支えありません

10　経営の危機に面して、社長はリストラの決断をしたが、彼の決断はいつも（　　　）。

1　遅すぎるきらいがある　　2　遅く極まりない
3　遅いにこしたことはない　　4　遅くても差し支えない

11 偽造した硬貨を自動販売機などで使用する事件が相次いだため、その硬貨のデザインや材質の（　　　）。

1 変更を禁じえなかった　　2 変更するにあたった
3 変更を余儀なくされた　　4 変更をものともしなかった

12 若いときならいざ知らず、（　　　）。

1 年を取るのは避けられません　　2 年を取りたくないものです
3 今はそんなきつい運動はできません　　4 今は運動がきつくても少しずつやっています

13 彼は自分の店はおろか、（　　　）。

1 自宅まで失ってしまった　　2 自宅まで自分で建てた
3 友人の店まで手伝っている　　4 友人の店まで有名にした

14 自分の子どもを虐待するなど、（　　　）。

1 親にとって想像にあたらない　　2 親になれば想像に難くない
3 親として失礼極まる行為だ　　4 親としてあるまじき行為だ

15 このような不当な判決には、怒りを禁じ得ません。（　　　）。

1 理由によっては、受け入れたいです　　2 まったく受け入れられなくはありません
3 断固（だんこ）、抗議するつもりです　　4 やはり、抗議せずにすむでしょう

問題2　次の文の＿★＿に入る最もよいものを、1・2・3・4から一つ選びなさい。

16 ＿＿＿ ＿＿＿ ＿★＿ ＿＿＿ のは残念の極みです。

1 その制度が廃止される　　2 今までの活動が
3 無駄（むだ）になる　　4 理由はどうあれ

17 朝から晩まで好きな人のことばかりを考え ＿＿＿ ＿＿＿ ＿★＿ ＿＿＿ なんだろう。

1 この状態は　　2 でなくて　　3 恋の病　　4 夜もなかなか寝られない

18 ＿＿＿ ＿＿＿ ＿★＿ ＿＿＿ のは言うまでもないだろう。

1 にこしたことはない　　2 簡単に治る病気
3 とはいえ　　4 そんな病気にならない

19 育った家庭環境を考えれば彼の行動は ＿＿＿ ＿＿＿ ＿★＿ ＿＿＿ ものではない。

1 それで　　2 理解に難くない　　3 許される　　4 と言われるが

20 昨日見た映画は、映像技術は ＿＿＿ ＿＿＿ ＿★＿ ＿＿＿ あたらない。

1 評価するには　　2 さておき　　3 ストーリーは　　4 ありふれたもので

第八週

問題3　次の文章を読んで、[21]から[25]の中に入る最もよいものを、1・2・3・4から一つ選びなさい。

父を六歳の時に亡くしたという事実が、女である私の成長過程で精神的にどのような影響を及ぼしてきたか、それは私にもわからない。

しかし、[21]私も弟も、男の人がほんとうに怒ったときの怖さを知らぬまま大人になってしまった。

小さい頃、友達の家に泊まりにいくと、夕方そこの家のお父さんが帰宅した時と同時に、家の中の人がピリピリするそんな瞬間を感じたことがあった。お母さんはお父さんの背広を受け取り、いそいそと食事の用意を始め、子どもたちは今まではしゃいでいたのに皆少しおとなしくなった。こんな瞬間が父親のいないわが家にはなかった。

母は「母子家庭」という言葉を忌(い)みきらう。うちは好き好んで母子家庭になったんじゃない ―― 離婚して母子家庭を選んだ人と一緒にしないでほしいという強い思いが母の中にはあるようだ。

[22]、私たちを育てる過程で、「あそこの家はお父さんがいないからあんなふうなのよ」というように、人からうしろ指をさされるようなことだけはない子どもたちに育てなければという気負いが母にはあったと思う。

私も弟もグレこそしなかったが、節目節目には多かれ少なかれ人並みに[23]。こんな時母親は、「あー、女親じゃ、やっぱりダメ。こういう時は男親にガツンと一発やってもらわないと」 ―― といつも情けなさそうに言っていた。

そうは言っても、女親としては母はかなり厳しいほうだったと私は思っている。[24]母は、本気で私たちを叱(しか)るときは容赦(ようしゃ)なく平手でパチンとやった。食事中についうっかりお膳(ぜん)の上のコップをひっくり返したりしたときも、「テレビのほうばっかり、よそ見しているからでしょ！」とゴツンとやられ、[25]パチッとテレビを消された。そのゴツンが、かなり痛いゴツンだった。

（中井貴恵著　『父の贈りもの』　角川文庫による）〈一部改変〉

21 1 よいにつきわるいにつき
2 よかろうわるかろう
3 よいともわるいとも
4 よかれあしかれ

22 1 それどころか
2 ならびに
3 および
4 それゆえに

23 1 反抗期というものを迎えた
2 迎えた反抗期に気付かなかった
3 母に反抗できずにすんだ
4 母の反抗をものともしなかった

24 1 小さなことはおろか
2 小さいことじゃあるまいし
3 どんな小さいことにつき
4 どんな小さなことであれ

25 1 かつ
2 ないしは
3 もしくは
4 だが

137ページの答え：Ⅰ－①b ②a ③b ④a ⑤b
Ⅱ－⑥1→3→2→4 ⑦4→3→1→2

さくいん

太字＝［　］で紹介している表現　細字＝［……］の中や もっと! で紹介している表現

イラスト　花色木綿
翻訳・翻訳校正　Hannah Rosszell ／ Rory Rosszell ／石川慶子（英語）
李煒（中国語）
崔明淑／時事日本語社（韓国語）
編集協力・ＤＴＰ　りんがる舎
装丁　岡崎裕樹
印刷・製本　日経印刷株式会社

「日本語能力試験」対策
日本語総まとめ N1 文法

2010年4月10日　初版　第1刷発行
2019年4月10日　初版　第14刷発行

本体価格　1,200円

著　者　佐々木仁子・松本紀子

発　行　株式会社アスク出版
〒162-8558　東京都新宿区下宮比町 2-6
TEL　03-3267-6864
発行人　天谷修身

Printed in Japan　ISBN978-4-87217-726-8

こちら側に引っ張って切り離してください。

実戦問題

解答・解説

Answers and Explanations
解答・解说
해답・해설

第1週　実戦問題

問題1 (p.26～27)

1　**2**　私から言わせれば（＝私の意見では）

2　**4**　まじめな彼女(かのじょ)のことだから（＝彼女はまじめだからきっと）

3　**4**　減(へ)りこそすれ（＝減ることはあるが、決(けっ)して）

4　**1**　無駄(むだ)な道路工事(どうろこうじ)をするくらいなら（＝無駄な道路工事はやめてほしい。それなら）

5　**1**　練習することなしに（＝練習しないで）

6　**1**　値上(ねあ)げはないとされている（＝値上げはないと言われている）

7　**1**　業績(ぎょうせき)が悪いとみえて（＝業績が悪いようで）

8　**4**　月に2、3回というところ（＝だいたい月2、3回ぐらい）

9　**3**　形(かたち)こそ悪いが（＝形は悪いけれど）

10　**1**　変(か)えようとしたって（＝変えようとしても）

11　**2**　うちぐらいのものだ（＝うちしかない）

12　**3**　渋滞(じゅうたい)するとみられている（＝渋滞すると考えられている）

13　**2**　保管(ほかん)するものとする（＝保管すると決(き)める）

14　**4**　過(す)ぎたものとして（＝もう過ぎたことと考えて）

15　**2**　寝(ね)ないでやったところで（＝たとえ寝ないでやっても）

問題2 (p.27)

16　**1**　4→2→1→3

17　**4**　2→1→4→3

18　**2**　1→3→2→4

19　**2**　4→3→2→1

20　**4**　1→3→4→2

問題3 (p.28)

21　**4**　激(はげ)しい稽古(けいこ)を積(つ)むことなしに（＝激しい稽古を積まないで）

22　**2**　わずか1割(わり)といったところだ（＝だいたいわずか1割だ）

23　**1**　関取(せきとり)になってこそ（＝関取になってはじめて）

24　**1**　下働(したばたら)きや苦労(くろう)を何年もするくらいなら（＝下働きや苦労を何年もするのはいやだ。それなら）

25　**2**　本当に感心(かんしん)させられる（＝本当に感心する）

第2週　実戦問題

問題1 (p.42～43)

1　**4**　小さいなら小さいなりの（＝小さい範囲(はんい)での）

2　**2**　追(お)いつ追われつ（＝追ったり追われたり）

3　**4**　社長であれ社員であれ（＝社長でも社員でもいいから、だれかが）

4　**3**　窓(まど)からの眺(なが)めといい、料理といい（＝窓からの眺めも料理も）

5　**2**　どこに苦情(くじょう)を言っていいものやら（＝どこに苦情を言ったらいいのか）

6　**1**　何と言おうが（＝何と言っても）

7　**4**　金持ちであろうとなかろうと（＝金持ちでも、金持ちじゃなくても）

8　**1**　どの駅に行くにせよ（＝どの駅に行く場合でも）

9　**4**　書いては消(け)し書いては消ししている（＝書いてすぐ消すのをくり返している）

10　**1**　煮(に)るなり焼(や)くなりしてください（＝煮るとか焼くとか、どうにかしてください）

11　**3**　掃除(そうじ)が大変(たいへん)だのキッチンが使いにくいだのと（＝「掃除が大変だ」とか「キッチンが使いにくい」とか）

12 **3** 壁(かべ)といわず天井(てんじょう)といわず（＝壁も天井も、部屋中(へや)）

13 **3** 自分でやるにせよ人に頼(たの)むにせよ（＝自分でやる場合も、人に頼む場合も）

14 **2** 子どもが子どもなら親(おや)も親だ（＝子どもも親も両方(りょうほう)よくない）

15 **3** 来ようが来まいが（＝来ても来なくても）

問題2 (p.43)

16 **2** 1→4→2→3

17 **3** 1→4→3→2

18 **3** 2→4→3→1

19 **1** 2→3→1→4

20 **2** 4→3→2→1

問題3 (p.44)

21 **1** 出席(しゅっせき)しようかするまいか（＝出席しようか、出席しないか）

22 **1** 電話するなりメールするなりして（＝電話するか、メールするか、何かの方法(ほうほう)で）

23 **1** 席(せき)に着(つ)くなり（＝着くのと同時(どうじ)に／着いたとたんに）

24 **4** かわいそうというか悲しいというか（＝かわいそうとも言えるし、悲しいとも言えるし、とにかく）

25 **3** 何であれ（＝どういう方法(ほうほう)でも）

第3週 実戦問題

問題1 (p.58～59)

1 **4** 損(そん)をしてまでも（＝損をして、それでも）

2 **1** シンプルで丈夫(じょうぶ)なのに限(かぎ)る（＝シンプルで丈夫なのが一番だ）

3 **4** 病気とはいえ（＝病気なのだが、それでも）

4 **2** ヒットしたのを皮切(かわき)りに（＝ヒットしたのがきっかけになって）

5 **1** ご挨拶(あいさつ)かたがた（＝挨拶を兼(か)ねて）

6 **1** 明日をもって（＝明日で）

7 **3** 開店(かいてん)するが早いか（＝開店するのとほとんど同時に）

8 **2** 書くまでもない（＝書く必要(ひつよう)がない）

9 **3** 覚(おぼ)えたと思ったそばから（＝覚えたと思ってもすぐに）

10 **4** この3週間というもの（＝この3週間の間、ずっと）

11 **4** あきらめるまでのことだ（＝あきらめるしかない）

12 **1** うらやましい限(かぎ)りだ（＝とてもうらやましい）

13 **3** 遊(あそ)びがてら（＝遊ぶついでに／遊ぶのを兼(か)ねて）

14 **2** 子どもを育(そだ)てるかたわら（＝子どもを育てながら）

15 **3** 負けたといえども（＝負けたけれど）

問題2 (p.59)

16 **1** 4→2→1→3

17 **1** 4→2→1→3

18 **4** 2→1→4→3

19 **4** 3→1→4→2

20 **1** 4→2→1→3

問題3 (p.60)

21 **4** 私に限(かぎ)ったことではないだろう（＝私だけではないだろう）

22 **4** 今日を限(かぎ)りにやめよう（＝今日で終わりにして、やめよう）

23 **3** 言うまでもない（＝言わなくてもみんなが知っている）

24 **3** 理想(りそう)の体重(たいじゅう)になったと思いきや（＝一時(いちじ)的(てき)に理想の体重になったと思っても）

25 **1** 毎日とはいかないまでも（＝毎日じゃなくても）

第4週　実戦問題

問題1（p.74～75）

1 **4** 医者たる者（＝医者の立場にある人が）

2 **2** 高校生ともなると（＝高校生ぐらいの年になったら）

3 **1** 家で楽しく運動できるとあれば（＝家で楽しく運動できるなら）

4 **1** 魚あっての漁業（＝魚がいて初めてできる漁業）

5 **4** 不安もなくはない（＝不安も少しはある）

6 **3** 多少なりとも（＝多少でも／少しは）

7 **4** 一言たりとも（＝たとえ一言であっても）

8 **3** 私に責任がないものでもない（＝もしかしたら、私に責任があるかもしれない）

9 **3** 住民の協力なくして（＝住民の協力がなかったら）

10 **1** 異例ずくめ（＝異例なことばかり）

11 **2** 国際化の時代にあって（＝国際化の時代においては）

12 **2** 泥まみれ（＝体中に泥がついた状態）

13 **4** 大企業にして（＝大企業でも）

14 **3** 100万円からする（＝100万円もする）

15 **1** プロなみ（＝プロとほとんど同じ程度）

問題2（p.75）

16 **1** 2→4→1→3

17 **4** 2→3→4→1

18 **1** 4→3→1→2

19 **1** 2→4→1→3

20 **1** 4→3→1→2

問題3（p.76）

21 **4** なんとかならないものだろうかと思う（＝解決する方法は何かあるだろうかと思う）

22 **2** 何をするともなく（＝何をしようという目的もなく）

23 **1** 当社ならではの（＝当社だけの）

24 **4** 1日たりとも（＝1日も）

25 **1** 不況下とあって（＝不況だから）

第5週　実戦問題

問題1（p.90～91）

1 **2** 両親の喜びようは（＝両親が喜んだ様子は）

2 **3** ラーメンに至るまで（＝ラーメンまで）

3 **3** たとえようのない恐ろしさ（＝たとえる方法がない恐ろしさ）

4 **4** 美人の上にお金持ちときているので（＝美人でお金持ちなので当然）

5 **1** 見かけによらず（＝見た目には関係なく）

6 **3** 忘れようにも（＝忘れようとしても）

7 **2** 買わずに済んで（＝買う必要がなく問題が解決して）

8 **1** 「わからない」では済まない（＝「わからない」では許されない）

9 **3** 払わずにはすまない（＝払わなければならない）

10 **4** 建て直したかのごとく（＝まるで建て直したように）

11 **1** 渡るべからず（＝渡るな）

12 **4** 感動を与えずにはおかなかった（＝自然と感動させた）

13 **1** 疑うべくもない（＝疑うことは考えられない）

14 **2** 晴天と相まって（＝天気がよかったせいもあって）

15　**4**　結果のいかんにかかわらず（＝結果がどうかに関係なく）
　＊ ベストを尽くす：持っている力をすべて出して頑張る

問題2（p.91）

16　**1**　3→2→1→4
17　**1**　3→2→1→4
18　**1**　2→4→1→3
19　**1**　2→4→1→3
20　**2**　4→1→2→3

問題3（p.92）

21　**3**　日本国内にとどまらず（＝日本国内だけでなく）
22　**1**　できそうもない（＝できる可能性は低い）
23　**4**　世界一の販売額を達成するに至っただけに（＝とうとう世界一の販売額を達成したのに）
24　**1**　これからの対応いかんでは（＝これからの対応によっては／対応次第で）
25　**4**　販売額の減少だけではすまない問題（＝販売額が減少すること以外の問題）

第6週　実戦問題

問題1（p.106～107）

1　**1**　10年の月日を経て（＝10年という月日が過ぎて）
2　**3**　促されるまま（＝促されて抵抗せずに）
3　**1**　助けんがために（＝助けるために）
4　**4**　本番のつもりで（＝本番だという気持ちで）
5　**2**　生徒たちの手前（＝教師という立場で生徒たちの前で）
6　**2**　うるさいと言わんばかりに（＝「うるさい」と口では言わないがそう言いたい様子で）
7　**3**　その事件を機に（＝その事件を機会として）
8　**4**　今にも咲き出さんばかりに（＝今にも咲きそうな状態で）
9　**2**　貧しいながらも楽しい我が家（＝貧しいけれど、楽しい私の家）
10　**3**　あなたに出会った日を境にして（＝あなたに出会った日から）
11　**3**　運動を兼ねて（＝運動も目的として）
12　**1**　貧困ゆえに（＝貧困が理由で）
13　**4**　時代に即した（＝時代にちょうど合った）
14　**1**　日々の散歩の折に（＝日常的な散歩のときに）
15　**4**　苦しんでいるのをよそに（＝苦しんでいることを気にしないで）

問題2（p.107）

16　**1**　2→4→1→3
17　**1**　4→3→1→2
18　**3**　4→2→3→1
19　**4**　3→1→4→2
20　**1**　3→4→1→2

問題3（p.108）

21　**3**　世界に先駆けて（＝世界で一番早く）
22　**4**　世界各国での販売を前提に（＝世界各国で販売することを考えて）
23　**4**　軽さもさることながら（＝軽いことも優れているが）
24　**1**　軽量ゆえに（＝軽いのが原因で）
25　**2**　我が社をおいてほかにない（＝我が社しかない）

第7週　実戦問題

問題1（p.122～p.123）

[1] **2** 我慢に我慢を重ねていたが（＝我慢し続けていたが）

[2] **3** できもしないで（＝できないのに）

[3] **4** 春めく（＝春を感じられる）

[4] **1** 見るに堪えない（＝見るのが我慢できないほどひどい）

[5] **3** 一度や二度（＝一度か二度）

[6] **4** 認めざるを得ない（＝認めなければならない）

[7] **4** 塀という塀（＝すべての塀）

[8] **2** 先輩ぶった（＝意識して先輩らしくした）

[9] **4** 思い浮かべるだに（＝思い浮かべるだけで）

[10] **1** 不慣れなこととて（＝不慣れなので／慣れないから）

[11] **4** わかりゃしない（＝全然わからない）

[12] **4** 恐れるに足りない（＝恐れる必要はない）

[13] **2** ご心配には及びません（＝心配するレベルではありません／心配しなくていいです）

[14] **1** 幸せにしてみせます（＝幸せにすることを約束します）

[15] **3** うらやましくもなんともない（＝全然うらやましくない）

問題2（p.123）

[16] **3** 1→2→3→4

[17] **1** 4→3→1→2

[18] **3** 4→1→3→2

[19] **2** 3→1→2→4

[20] **4** 3→1→4→2

問題3（p.124）

[21] **1** 15年目にして（＝15年目でやっと、初めて）

[22] **1** 650度の温度での使用に耐える（＝650度の温度でも十分に使用できる）

[23] **4**

[24] **4** G30という繊維には及ばなかった（＝G30という名前の繊維のレベルには達しなかった）

[25] **4** 落胆ぶり（＝がっかりする様子）

第8週　実戦問題

問題1（p.138～p.139）

[1] **2** 数えればきりがない（＝数えられないほど多い）

[2] **1** 小学生ならいざ知らず（＝小学生についてはは知らないが／小学生ならわかるが）

[3] **3** 居眠りをする始末だった（＝居眠りしてしまうというひどい状態だった）

[4] **2** 失礼極まりない態度（＝これ以上ないほど失礼な態度）

[5] **1** 願ってやまない（＝強く願っている）

[6] **4** 驚くにはあたらなかった（＝驚くほどのことではなかった）

[7] **4** 不景気をものともせず（＝不景気に負けずに）

[8] **2** 馬じゃあるまいし（＝馬ではないのだから）

[9] **4** 話しても差し支えありません（＝話しても問題ありません）

[10] **1** 遅すぎるきらいがある（＝遅いという悪い傾向がある）

[11] **3** デザインや材質の変更を余儀なくされた（＝デザインや材質を仕方なく変更した）

[12] **3** 若いときならいざ知らず（＝若いときならどうかわからないが）

＊ 若ければできたかもしれない／いいかもしれないが、今はそうではないので、という内容が続く。

13 **1** 自分の店はおろか、自宅(じたく)まで（＝自分の店は当然(とうぜん)として、さらに自宅まで）

14 **4** 親(おや)としてあるまじき行為(こうい)（＝親としてあってはならない行為）

15 **3** 怒(いか)りを禁(きん)じ得(え)ません（＝怒(おこ)らずにはいられません／怒る気持ちを止められません）

問題2（p.139）

16 **2** 1→4→2→3

17 **3** 4→1→3→2

18 **4** 2→3→4→1

19 **1** 2→4→1→3

20 **4** 2→3→4→1

問題3（p.140 ～ 141）

21 **4** よかれあしかれ（＝いいことか悪(わる)いことかわからないが）

22 **4** それゆえに（＝だから）

23 **1**

24 **4** どんな小さなことであれ（＝どんなに小さいことでも）

25 **1** ゴツンとやられ、かつ（＝ゴツンと叩(たた)かれ、同時(どうじ)に）